O QUE APRENDI COM AS VIDEIRAS

O QUE APRENDI COM AS VIDEIRAS

O caminho para uma vida frutífera

―

BETH MOORE

Traduzido por Angela Tesheiner

Copyright © 2020 por Beth Moore
Publicado originalmente por Tyndale House Publishers,
Carol Stream, Illinois, EUA.

Os textos bíblicos foram extraídos da *Nova Versão
Transformadora* (NVT), da Editora Mundo Cristão,
sob permissão da Tyndale House Publishers, salvo as
seguintes indicações: *Almeida Revista e Corrigida* (RC)
e *Almeida Revista e Atualizada*, 2ª ed. (RA), ambas da
Sociedade Bíblia do Brasil; *Nova Versão Internacional*
(NVI), da Bíblica Internacional; *A Mensagem* (MSG), de
Eugene Peterson, publicada no Brasil pela Editora Vida.

Todos os direitos reservados e protegidos pela Lei
9.610, de 19/02/1998.

É expressamente proibida a reprodução total ou
parcial deste livro, por quaisquer meios (eletrônicos,
mecânicos, fotográficos, gravação e outros), sem prévia
autorização, por escrito, da editora.

Edição
Daniel Faria

Revisão
Natália Custódio

Produção e diagramação
Felipe Marques

Colaboração
Ana Luiza Ferreira

Capa
Rafael Brum

CIP-Brasil. Catalogação na publicação
Sindicato Nacional dos Editores de Livros, RJ

M813q

    Moore, Beth, 1957-
      O que aprendi com as videiras : o caminho para uma
vida frutífera / Beth Moore; tradução Angela Tesheiner. - 1.
ed. - São Paulo : Mundo Cristão, 2021.
      304 p.

    Tradução de: Chasing vines
    ISBN 978-65-86027-84-6

      1. Vida espiritual - Cristianismo. 2. Viticultura na
Bíblia. 3. Formação espiritual. 4. Crescimento espiritual. I.
Tesheiner, Angela. II. Título.

21-68795

                    CDD: 248.4
                    CDU: 27-584

Publicado no Brasil com todos
os direitos reservados por:

Editora Mundo Cristão
Rua Antônio Carlos Tacconi, 69
São Paulo, SP, Brasil
CEP 04810-020
Telefone: (11) 2127-4147
www.mundocristao.com.br

Categoria: Inspiração
1ª edição: maio de 2021

*Para Amanda e Melissa,
minhas amadas filhas,
meus amores,
minhas melhores amigas,
minhas companheiras favoritas de viagem —
por causa da Itália.*

Sumário

Introdução	9
PARTE I: O VINHEDO	
1. Planta	19
2. Local	28
3. Uvas	43
PARTE II: O LAVRADOR	
4. Canção	57
5. Inspeção	74
6. Colinas	93
7. Pedras	106
PARTE III: A VIDEIRA	
8. Videira	123
9. Permanecer	136
10. Poda	152
11. Treliça	166
PARTE IV: O FRUTO	
12. Solo	181
13. Raízes	201
14. Ar livre	215
15. Adubo	227
16. Praga	234

Parte V: A vindima
17. Colheita 247
18. Recolhimento 260
19. Banquete 278

Epílogo 292
Agradecimentos 295
Notas 300

Introdução

Depois de décadas de vida e ministério entre miríades de pessoas, aprendi que *todos nós queremos ter relevância*. O desejo de ser relevante não distingue as pessoas. Homens ou mulheres, adultos ou crianças, religiosos ou não, ricos ou pobres, negros, pardos, ou brancos — essa ânsia está costurada com fios permanentes ao tecido de cada alma humana.

O grande alívio é descobrir que essa esperança não é postergada. Você é relevante — já, neste momento — sem realizar uma única mudança. No entanto, tudo muda no momento em que permitir que o Criador lhe mostre por que você é relevante e como ele toma tudo que lhe diz respeito para, mais cedo ou mais tarde, aqui ou ali, de forma sutil ou drástica, tornar tudo isso relevante.

Fomos criados para contribuir, concebidos para oferecer quem somos e o que temos à mescla humana a fim de lhe acrescentar alguma dose de benefício. Isso era verdade até no paraíso imaculado do Éden. Deus ordenou a Adão e Eva, em outras palavras: *Acrescentem algo! Cultivem a terra! E, vocês dois, sejam férteis e se multipliquem. Povoem a terra!*

Jesus elevou esse conceito a outra estratosfera ao tomar indivíduos a quem havia oferecido vida abundante e, pelo poder do próprio Espírito Santo, tornar as contribuições deles relevantes, não apenas de forma temporária, como fez com Adão e Eva, mas eterna.

> Quando vocês produzem muitos frutos, trazem grande glória a meu Pai e demonstram que são meus discípulos de verdade. [...] Vocês não me escolheram; eu os escolhi. Eu os chamei para irem e produzirem frutos duradouros, para que o Pai lhes dê tudo que pedirem em meu nome.
>
> João 15.8,16

Essa ideia de que nossa vida tem relevância vêm me perseguindo desde minhas primeiras lembranças, mas hoje, ao me aproximar cada vez mais da linha de chegada, o conceito praticamente me assombra. Quando chegar ao fim da vida, quero saber que ela teve significado. Quero saber que minha vida, com todos os solavancos no caminho, foi relevante.

Se você sente o mesmo, não somos apenas nós: Deus também quer que nossa vida tenha relevância. A intenção dele é que sejamos profundamente frutíferos. Esse nosso desejo de contribuir, de fazer algo proveitoso, não é só um sonho egocêntrico. Ao seguirmos Jesus, é isso que podemos esperar da vida.

E ser frutífero não é um dever insípido e banal. É algo que afeta de modo direto nossa felicidade, pois o envolvimento naquilo que Deus realiza é a única atividade que nos dá satisfação e paz verdadeiras. Deus está invadindo o planeta com o evangelho de Cristo, buscando pessoas de todas as línguas, tribos e nações, oferecendo-lhes vida, fé, amor, esperança, salvação, alegrias e um futuro eterno em que ele governa como Rei. Nada do que acontece no mundo é mais significativo ou emocionante. E, à medida que damos frutos, participamos disso tudo.

INTRODUÇÃO

Sei como é temer não ser visto. Sei como é recear ser inútil. Sei como é fácil sentir-se sem talentos numa sociedade movida pelo talento. Se for como eu, você se sente ansioso por contribuir. Anseia por ser relevante. E quer saber de uma coisa? Você é.

Você não precisa se contentar em apenas fazer algo. Em Cristo, você consegue tornar esse algo relevante.

+ + +

Apaixonei-me pelo ensinamento de Cristo sobre a videira e os ramos desde que iniciei meus estudos sobre a Bíblia, e venho ensinando há pelo menos vinte anos que o chamado dele à fecundidade é uma parte essencial para se obter satisfação na vida. O que há de espetacular nas Escrituras, porém, é que — como nenhum outro livro tocado por mãos humanas — sua tinta talvez esteja seca, mas não é de forma nenhuma algo morto. As palavras permanecem vivas e ativas, e o Espírito Santo que as inspirou consegue animar a passagem mais familiar e lhe injetar nova vida na alma.

Foi o que aconteceu comigo na Toscana há um ano, numa viagem maravilhosa que realizei com minhas filhas, Amanda e Melissa. Além da alegria egoísta de estar com as duas, minha esperança para essa viagem que vínhamos planejando havia séculos era recompensá-las. Elas não pediram pela mãe que receberam. No entanto, quando a mais velha estava com quatro anos e a mais nova com um, eu me ausentava, na prática, uma sexta-feira sim, outra não — em geral apenas por uma noite, e o pai delas assumia o controle. Algumas noites por mês talvez não pareça ser muito a princípio, mas nenhuma garotinha quer que a mamãe vá embora. Quarenta anos de ministério cobram um preço alto de uma família. Entretanto, as três principais pessoas na minha vida — Keith, Amanda e Melissa — de algum modo conseguiram resistir à punição dolorosa do ressentimento efervescente. Não tenho como expressar o quanto sou abençoada, incrivelmente agradecida, e oro a Deus que lhes pague com recompensas eternas.

Contudo, já que não estamos no paraíso ainda, pensei que talvez ele não se importasse se eu me antecipasse e as abençoasse com algo temporal de que eu pudesse participar antes de estar velha demais para diferenciar uma filha da outra. Eu havia pensado em algo que, com quase toda a certeza, seria inútil no reino dos céus, a não ser por fortalecer a alma de três mulheres em serviço a Jesus ao lhes prover bom café, boa conversa e, se o riso é o melhor remédio (como a Bíblia afirma), risos suficientes para anestesiar um batalhão. O Senhor não pareceu demonstrar objeções.

Eu estava determinada a pagar pelas três passagens de ida e volta à Itália com as milhas aéreas que havia acumulado, não apenas porque gosto de economizar, mas também pelo puro simbolismo de lhes retribuir por todas as vezes que eu havia embarcado num avião para sabe-se-lá-onde. Gastei quase todas as milhas guardadas, mas cada uma valeu a pena.

Sete horas mais tarde, aterrissamos em Florença, o famoso berço do Renascimento, onde acrescentamos trinta e poucos quilômetros de calos às solas de nossos pés antes de abanar um triste adeus ao *Davi* de Michelangelo. Quando apanhamos um voo de volta para os Estados Unidos, já havíamos passeado por Siena, visitado Nápoles, atravessado de carro a Costa de Amalfi e passado várias noites em Positano, o local fantástico que nos garantiram que seria o nosso favorito. Almoçamos num barco a motor, fomos de balsa até Capri e passamos as noites finais da viagem em Sorrento. A aventura com certeza se provou uma viagem para ser recordada por toda a vida — tudo que três mulheres norte-americanas queriam que fosse, e ainda mais. No entanto, nenhuma dessas paradas foi o cenário de meu romance inesperado.

Minha perdição foi a região agrícola da Toscana. O local pertencia a outro mundo. Passamos três noites numa pousada a vinte minutos de Siena, a anos-luz de nossa vida em Houston, no Texas. A pousada havia sido construída numa encosta no quadrante superior de um vinhedo, com vista para outras montanhas que se estendiam como ondas sem crista até o horizonte. Ao me posicionar no meio dos jardins e olhar em toda a volta, em qualquer direção eu avistava videiras.

Não foi nossa sabedoria que fez com que a estadia na Toscana coincidisse com o fim da colheita, ou teríamos nos tornado insuportáveis de tanto orgulho. Em vez disso, essa foi uma dádiva incontroversa da graça a nós, neófitas — um presente inesperado de Deus embrulhado em fitas de cor verde, violeta, marrom e dourada. A única coisa que temos a dizer a nosso favor é que não desperdiçamos a dádiva.

QUANDO CHEGAR AO FIM DE
MINHA VIDA, QUERO SABER
QUE ELA TEVE *SIGNIFICADO*.

No caminho de táxi para a cidade em certa manhã da Toscana, serpenteando pelas montanhas ondulantes, vimos os últimos ceifeiros caminhando pelas fileiras — inspecionando as videiras e cortando os últimos cachos pesados da fruta. Fascinada, senti que assistia a uma reencenação de algumas das parábolas de Cristo (Mt 20—21). Não me esqueci de que, basicamente, uma de suas últimas exortações aos discípulos foi: "Produzam muitos frutos" (Jo 15.5-8).

A viagem era para ter sido apenas um passeio de férias para ver as paisagens, não uma expedição de estudo da Bíblia, mas não consegui me conter. Concluí que, se Jesus passou tanto tempo falando sobre videiras, quanto mais eu me aproximasse delas, mais teria a aprender. Para entender o que significa seguir Jesus, eu não poderia passar ao largo dessa questão e atribuí-la a um fenômeno cultural extinto, que desapareceu junto com os rituais de purificação e com o hábito de cobrir a cabeça. Eu precisava seguir esse puxão inegável no meu coração.

E foi aí que me apaixonei, com meu nariz pressionado contra a janela do táxi, minhas palmas contra o vidro, como alguém tentando escapar do carro de sequestradores. Esse foi o início de minha paixão pelas uvas. Foi Giuseppe Verdi quem disse a famosa frase: "Pode ficar com o universo, se deixar a Itália para mim". Pois você, Giuseppe, pode ficar com a Itália, se deixar para mim suas videiras.

A imagem do vinhedo tem me consumido desde aquela viagem, instigando uma busca da capa à contracapa das santas páginas, em estantes de comentários bíblicos e dicionários. Levou-me a horas de entrevistas com especialistas sobre tudo, desde o plantio de videiras ao processamento das uvas em vinhos, e a uma pilha, que chega quase até o teto, de livros sobre os mesmos assuntos. A cada elemento da pesquisa, meu fascínio pela imagem da videira e do ramo cresceu. Deus colocou a canção do vinhedo em meu fonógrafo, ajustou a agulha para vinil, aumentou o volume e me pôs a dançar.

Talvez você conheça a parábola: às vezes você encontra um tesouro escondido e, com alegria irrefreável, economiza, volta lá e compra todo o campo (Mt 13.44). Encontrei um cacho de uvas numa videira suntuosa e não consegui me deter até ter escavado o campo.

E não quero guardar o tesouro que descobri na Itália só para mim. Quero compartilhá-lo com você. Há um táxi aguardando com um assento vago. Vou deslizar mais para o canto para que você possa se sentar ao meu lado, e, se estiver disposto a investir seu coração nisso, talvez se apaixone também.

+ + +

No poema "O dia de verão", Mary Oliver faz uma pergunta inesquecível que vale bem a pena ponderar:

Diga-me, o que você planeja fazer
com sua vida única, selvagem e preciosa?

Essa sua vida selvagem e preciosa é relevante — para Deus e para o mundo. Nem uma gota dela é desperdiçada.

Seu trabalho é relevante.
Seus dons são relevantes.
Suas lágrimas são relevantes.
Seu sofrimento é relevante.
Suas alegrias são relevantes.
Suas esperanças são relevantes.
Seus sonhos são relevantes.

Seus sucessos são relevantes.

Seus fracassos são relevantes.

Seus relacionamentos são relevantes.

Suas lembranças são relevantes.

Sua infância é relevante.

Seu passado é relevante.

Seu futuro é relevante.

Seu presente é relevante.

Deus faz uso de tudo isso. Das mãos do Vinicultor, nada cai. Tudo é importante.

Deus quer que você floresça nele. Tudo que ele plantar em sua vida tem esse propósito. Se nos entregarmos por completo a seus caminhos fiéis, por mais misteriosos e doloridos que sejam às vezes, descobriremos que tudo faz parte do processo que nos permite crescer e gerar frutos. Aquelas videiras da Toscana nem se compararão conosco.

Assim, deparamos com uma encruzilhada. Se reunirmos coragem suficiente para acreditar que fomos criados por Deus para florescer em Cristo, teremos uma escolha a fazer. Vamos nos sentar de braços cruzados e permanecer à espera de que isso aconteça, como se nossa cooperação não fosse parte do processo? Ou vamos partir, de passos leves e com o coração ardente, em busca desse chamado ao florescimento?

Em meio a toda a busca pelas videiras que temos adiante nestas páginas, aqui está a melhor parte: creio que vamos descobrir que, o tempo todo, a própria Videira vem nos buscando. "Tua bondade e teu amor correm atrás de mim todos os dias da minha vida" (Sl 23.6, MSG).

As uvas estão maduras. O vinhedo aguarda. Venha, junte-se a mim nessa busca.

PARTE I

O vinhedo

O Senhor Deus plantou um jardim.

Gênesis 2.8

1
Planta

Oito anos atrás, numa crise de angústia urbana, Keith e eu juntamos nossas trouxas e nos mudamos para o campo. Eu tinha dito que nunca deixaria a casa na cidade. Jurara que ele teria de enterrar meu corpo frio e rígido no quintal, onde os ossos de nossos animais de estimação descansavam com a paz que nossos novos filhotes lhes permitiam. Naquela casa eu havia criado duas filhas. Elas haviam percorrido aquela calçada de um lado a outro em triciclos, e depois em bicicletas. Também haviam partido dali, com os carros lotados de malas, toalhas e colchas novas, quando foram embora para a faculdade.

No entanto, centímetro a centímetro, a cidade tentava nos sufocar. Cada canto onde havíamos passeado com os cães, nos dado as mãos depois das brigas e limpado nossos pulmões estufados de ar fedorento havia sido enterrado de forma estratégica sob concreto. Quando a quarta unidade de armazenamento foi construída num raio de quatro quarteirões, já estávamos subindo pelas paredes.

Levamos os pais de Keith conosco. Eles moravam a um minuto de nossa porta da frente e haviam se mudado para nosso bairro para que pudéssemos cuidar deles e dividir com eles nossa vida. Não poderíamos nos mudar sem eles, e não fazíamos ideia se eles possuíam a energia — emocional ou física — de se deslocar e fincar novas raízes. Decidimos apresentar a pergunta mais tarde naquela semana, enquanto comíamos salada com tortilhas na casa em que moravam. "É isso que temos em mente. Vocês nos ajudariam a encontrar um trecho de mata e ir com...?" Eles já estavam dentro do carro antes de nós.

Essa mudança alterou muito em nossa vida. Nosso ritmo de vida desacelerou, trocamos o som do trânsito pelo coro noturno de sapos e grilos, e meu trajeto para o trabalho passou de vias expressas para estradas de duas faixas, só algumas delas asfaltadas. Contudo, talvez a transformação mais surreal tenha resultado do lote de terra que escavamos para criar nossa própria horta.

Uma vez que você passa tempo cavando em seu próprio cantinho de terra e saboreando o fruto de seu trabalho, é difícil voltar a comer um tomate da mesma maneira.

E uma vez que Deus é o supremo Lavrador, tenho de acreditar que ele se sente da mesma forma.

+ + +

"No princípio."

A criação despertou o lado terreno do céu. No terceiro dia, Deus criou o solo e viu que isso era bom. À luz de sua sabedoria plena, talvez devêssemos ser mais presbiterianos sobre a questão e dizer que ele gostava do solo, por isso o criou. É uma pobre alma aquela que confunde o solo com a sujeira, ou a terra com a poeira.

O solo cobre essa pedra giratória que chamamos de planeta Terra com uma fina epiderme — esburacada, porosa e sedenta. O solo acomoda as formigas tanto com montes como com buracos. Registra a passagem de cada criatura a pé, seja lagarto ou leopardo, com pelo menos uma pegada passageira. O solo sob as unhas de um elefante talvez termine como

PLANTA

protetor solar para seu couro delicado quando ele o lançar sobre as costas com a tromba.

O fato é que, nas mãos do Oleiro perfeito, o solo é a matéria-prima em sua roda.

> [...] nenhuma planta silvestre nem grãos haviam brotado na terra, pois o Senhor Deus ainda não tinha mandado chuva para regar a terra, e não havia quem a cultivasse. Mas do solo brotava água, que regava toda a terra.
>
> Gênesis 2.5-6

O escritor parece frisar a sequência dos acontecimentos. Havia terra, mas nenhum arbusto nem plantas de nenhuma espécie. Nenhum azevinho, jasmim ou junípero. Nenhum hissopo com o qual pintar as ombreiras das portas de vermelho. Nenhuma hortênsia para os vasos nas mesas repletas de pães. E não havia nenhum ser humano para sentir falta dessas plantas. Havia apenas névoa — chuva num estranho movimento reverso. Vinha de debaixo da terra, úmida o bastante para molhar o solo caso alguém quisesse fazer uma torta de lama.

> Então o Senhor Deus formou o homem do pó da terra. Soprou o fôlego da vida em suas narinas, e o homem se tornou ser vivo. O Senhor Deus plantou um jardim no Éden, para os lados do leste, e ali colocou o homem que havia criado.
>
> Gênesis 2.7-8

Depois de criar o universo com nada além de sua voz, Deus enfiou as mãos no solo (*adamah* em hebraico) e fabricou um ser humano (*adam*). Tanto o homem quanto a porção de terra que Deus preparou para manter o homem ocupado e sustentado foram resultado do toque divino. Contato direto.

DEUS GOSTA DE VER AS COISAS *CRESCEREM*.

A palavra *humano* significa literalmente "uma criatura da terra", do termo *humus*, ou chão.[1] A humilde palavra *humilde* tem a mesma origem e significa "baixo, junto ao chão".[2] Deus designou a gravidade para nos manter ali.

A ideia de Deus ao alcance da mão é um pensamento confortável, em especial porque o próprio Todo-poderoso afirmou que seus braços não são curtos. Poderíamos imaginar o Criador com braços longos o bastante para evitar que o rosto se cobrisse de poeira em meio a toda aquela provação criativa, mas soprar o ar para dentro das narinas do ser humano esboça uma postura diferente.

Aqui temos um Criador que se inclina rente ao chão. Aqui temos Deus, que é alto e elevado, mas que agora se dobra, animando o pó. Deus, com a boca tocando o nariz do homem.

+ + +

Neste momento você deve estar se perguntando por que, num livro sobre videiras e vinhedos, eu voltei tanto — literalmente ao princípio. Minnie Ola Rountree, minha avó, costumava dizer que eu era uma dessas pessoas que, quando lhes perguntam que horas são, recontam a invenção do relógio de sol.

Admito. Sou obcecada com as origens. Também estou convencida, até os ossos, e com muita alegria, de que a maioria das pessoas considera origens um assunto fascinante, uma vez que enxerguem as conexões. Antes de explorar as riquezas das videiras e uvas, precisamos de algum contexto. Precisamos estabelecer o cenário do vinhedo — temos de nos ajoelhar e cavar o solo um pouco para descobrir por que o processo de cultivo é importante para Deus e, portanto, por que é importante para nós.

O SENHOR Deus plantou um jardim no Éden.

Gênesis 2.8

O motivo por que plantar é tão crucial para a apreciação do processo é o fato deste ser tão deliberado, de maneira espetacular. Na vida, tantas coisas inexplicáveis ocorrem que as pessoas talvez sintam que tudo é um enorme acidente. Alguns pontos nunca dão a impressão de se conectar. Seu emprego atual talvez pareça não ter nada a ver com o anterior. Quem sabe você tenha a sensação de que aquilo para o qual foi treinado a fazer não apresenta nenhuma conexão com o que está fazendo de fato.

Ansiamos por continuidade, por alguma impressão de propósito — qualquer elemento que sugira que estamos no caminho certo. Em vez disso, nós nos sentimos como cinzas, restos de uma antiga fogueira, soprados sem rumo pelo vento. Sentimos que não somos nem mesmo importantes o bastante para que nos esqueçam, pois nunca fomos conhecidos, para início de conversa.

Nossas percepções são bem convincentes, mas Deus nos conta a verdade. Nada sobre nossa existência é acidental.

Éramos conhecidos antes de sabermos que estávamos vivos. Fomos planejados e, na realidade, *plantados* neste solo para este momento específico (At 17.26).

Quando Jesus disse a seus discípulos: "Meu Pai é o lavrador" (Jo 15.1), não estava empregando uma metáfora aleatória para delinear sua mensagem. O Pai de Jesus fez questão de registrar logo em Gênesis 2.8 que ele é horticultor. Não há dúvida de que ele poderia ter contratado alguém para realizar o trabalho, mas não temos nenhum vislumbre de paisagistas angelicais.

Para aqueles com um pingo de imaginação, a cena aqui é do próprio Deus com uma pá e uma enxada. É Deus em ação em meio a ervas e bulbos. É Deus com sua habilidade e nenhum almanaque com instruções de plantio. Em nosso canto do mundo, onde a maioria dos vasos de plantas são imagens de computador, é confortador lembrar que a primeira cultura da humanidade foi a horticultura. Toda vez que usamos a palavra *cultura*, estamos falando de jardinagem. *Cultura* vem do latim, e significa terra cultivada.

A Bíblia emprega com frequência termos de jardinagem para os atos de Deus. Em 2Samuel 7.10, Deus é descrito como tendo designado um povo e, em vez de estabelecê-lo, plantou-o onde desejava. Salmos 94.9 conta que Deus plantou o ouvido no homem, e, segundo Lucas 22.51, é evidente que Jesus também era capaz de replantá-lo, caso fosse necessário. Expressões como *enraizado*, *arrancar pela raiz* e *aterrado* também pertencem à linguagem da horticultura.

O Senhor Deus fez brotar do solo árvores de todas as espécies, árvores lindas que produziam frutos deliciosos.

Gênesis 2.9

PLANTA

Deus fez brotar. Impressiona que Deus tenha decidido fazer crescer de modo gradual o que ele poderia ter criado já crescido. Por que ele se daria ao trabalho de plantar um jardim que teria de brotar em vez de ordenar sua existência em plena floração? Por que deixar a escrivaninha e sujar de terra as barras das calças?

Porque Deus gosta de ver as coisas crescerem.

+ + +

Muitos anos se passaram entre a concepção do sonho de nos mudarmos para o campo até o dia em que os caminhões de mudança estacionaram diante de nossa calçada. Passamos noites incontáveis passeando de carro pelos arredores de Houston em busca de um pequeno coro de árvores que sussurrasse "Bem-vindos ao lar" a quatro guerreiros cansados da cidade. Por fim o encontramos, seguindo por uma longa estrada de terra com largura para um único carro.

Para nos ocupar durante aqueles meses prolongados repletos de negociações e de frustrações de arrancar os cabelos, aramos um retângulo de terra para criar uma horta. Naquela primavera, realizamos inúmeras vezes o trajeto até aquela mata, percorrendo estradas de terra tão cheias de pedras que tínhamos a impressão de que os pneus rolavam sobre plástico-bolha.

Ao chegarmos a nosso destino, as únicas amenidades eram quatro cadeiras rústicas de jardim que deixávamos apoiadas contra um pinheiro. Nós as desdobrávamos, as articulações delas rangendo, e removíamos dos assentos as agulhas do pinheiro e as teias de aranha. Desde que as fezes dos passarinhos estivessem secas, nós nos sentávamos. A vida no campo exigia certa robustez, afinal.

Molhávamos os montinhos, caminhávamos pelas fileiras, firmávamos as estacas e arrancávamos as ervas daninhas. Na maior parte do tempo, porém, apenas permanecíamos sentados naquelas quatro cadeiras e observávamos o jardim, encorajando nossas plantinhas a crescer. E eis que, por fim, elas cresceram. Até um Éden caído se lembra de como deliciar humanos caídos. Nossos tomateiros se revelaram um tanto pernudos, mas os caules eram fortes e torneados. Cada pequeno globo despertava amor à primeira vista.

"Cultivamos nossa própria comida", proclamávamos o tempo todo, sentados em nossas cadeiras de jardim e devorando até os ossos o frango que havíamos comprado do Kentucky Fried Chicken.

Quando nossos melões eram do tamanho de ovos cozidos, juramos que os inscreveríamos num concurso e que venceríamos. Reclamávamos das pragas mordiscando nossas abóboras. Empregávamos termos como *mangra* e *ninfa* e *lagarta* como se soubéssemos o que significavam. Keith e o pai dele se transformaram em meninos de dez anos, praguejando e cuspindo e digerindo de qualquer jeito a comida. A mãe dele e eu enfiávamos as unhas nas mordidas de mosquitos e desejávamos ter entusiasmo suficiente para nos agachar atrás dos arbustos. Foram tempos maravilhosos.

Eu estava enterrada até o pescoço em comentários bíblicos, estudando uma lição das Escrituras, quando recebi um telefonema no trabalho. "Temos um tomate maduro."

Antes que o sol se pusesse naquele paraíso de iniciantes, nós, metidos a fazendeiros, estávamos sentados em círculo em nossas cadeiras de jardim, meu sogro segurando um tomate do tamanho do punho de uma criança de cinco anos, do mesmo jeito que Rafiki ergueu Simba em *O Rei Leão*. Com lentidão cerimonial, ele sacou do macacão desbotado o canivete com cabo de madrepérola e passou a lâmina curta e manchada duas vezes pela polpa para cortá-la em quatro. O sumo pingou com gosto na palma de sua mão. Sem lavar. Sem salgar. Sem acrescentar nada. Sem tirar nada.

Sorrindo de orelha a orelha, com polpa de tomate no queixo e sementes nos dentes, brandimos os nossos primeiros frutos diante de Deus com o coração em êxtase, e o recebemos do jeito que a terra o ofereceu.

Você já se perguntou por que Deus se dá ao trabalho de nos santificar? Ele poderia, num instante, nos transformar em sua imagem no momento em que decidimos seguir Jesus, ou nos transportar para o céu no momento de nossa conversão. Por que ele optaria por nos levar por esse longo processo arrastado de plantio, irrigação, poda e colheita? É certo, no entanto, que ele arregaça as mangas, põe as mãos no solo e começa a juntar as peças de nossa vida de uma forma que seja relevante.

Penso que é porque ele não está procurando um tomate comprado em lojas. Ele quer um tomate real, cultivado por suas próprias mãos, por mais esforço que isso exija.

Para o jardineiro, o produto crescido é superestimado. Fazer crescer é o que torna o fruto doce.

2
Local

Com o passar dos anos, tenho enfrentado grandes dificuldades para descobrir onde me encaixo. Eu penso, *É isto aqui!*, e, no momento seguinte, aquele cão hostil da insegurança começa a me mordiscar os calcanhares de novo, avisando que estou fora de lugar. Ou não sou o bastante, ou sou demais em quase todos os lugares aonde vou.

Você já teve essa mesma sensação? Estou sempre procurando um lugar onde eu me encaixe como uma luva. "Sou uma mulher das montanhas", afirmo. Deus sabe que adoro as montanhas, mas não é como se eu quisesse acampar por lá. Dê-me um dia de caminhada, e depois um banho quente e uma refeição generosa num quarto de hotel. "O que sou, na verdade, é uma mulher do oceano." Porém, quão comprometida com a praia está uma pessoa que permanece de bermudas? O problema é que tenho essa paranoia a respeito de visitar as redes sociais e ver minhas pernas brancas e envelhecidas num traje de banho. "Sou uma mulher do frio", declaro, até passar alguns dias gelados de fim de inverno em Chicago, enquanto os tremoceiros texanos já floriam em Houston. Que horror, eu não sei que tipo de mulher eu sou.

Também enfrentei essa mesma busca pelo encaixe perfeito no aspecto denominacional. "Talvez eu seja metodista. Ou pentecostal. Vai ver é lá que eu me encaixo." Certa vez, pedi a Cheryl, uma professora amiga minha, que me explicasse o que eram os wesleyanos, para ver se eu era um deles. Depois de inúmeras conversas, cheguei à conclusão de que o que a maioria de nós tem em comum é a sensação de desajuste.

Também me advertiram algumas vezes de que eu deveria me manter no meu lugar. Eu queria responder: "Eu adoraria, se pelo menos eu conseguisse descobrir que lugar é esse".

Talvez nada seja mais normal que a sensação de ser um pouco anormal. É possível que se sentir confortável na própria pele signifique chegar à conclusão de que não fomos criados para nos sentirmos muito confortáveis nesta pele.

Este capítulo é para todos nós que estamos à procura de nosso lugar, pois, afinal, o que é uma planta sem um local?

+ + +

Pelos últimos doze meses, tenho vivido essa aventura da viticultura — a cultura e o cultivo de uvas. Conforme mergulharmos nas Escrituras nas páginas deste livro, captaremos vislumbres dos ingredientes divinos de uma vida imensamente frutífera. Para atingir esse objetivo, temos de deixar a videira nas mãos do Lavrador.

A Bíblia é um livro extenso, e a uva é o seu fruto predileto. Nenhuma metáfora, símbolo ou interpretação subsiste do Gênesis até o Apocalipse. Nossa tarefa não é forçar a uva a ir aonde desejamos, mas ir com a uva aonde ela nos levar.

Incentivo o leitor a aguçar o apetite por imagens poéticas, para que estas páginas não ofereçam apenas uma tigela de cerâmica de uvas frescas, enquanto o vinho é ignorado por completo. Seria uma vergonha se você chegasse ao fim deste livro só com passas e nenhum romance, só casca e nenhuma polpa. Até na ciência natural da viticultura transborda o romance da videira.

A arte e a ciência do cultivo da uva acrescentam minerais sublimes ao solo da videira nas Escrituras. Afinal, elas encontram suas origens na mente inescrutável de Deus. Creio que um dos termos mais adoráveis na viticultura é *terroir* (pronunciado "terroar"), que significa "senso de localização".[1] Note a relação com a palavra *terre*, que significa "terra" em francês; mas *terroir* abrange mais que o solo. Captura a interligação entre fatores como solo, clima, a própria planta e sua orientação em direção ao sol. Juntos, esses fatores acabam por moldar a "personalidade" do fruto resultante.[2]

Neste livro, nosso *terroir* primordial, ou senso de localização, é João 15, em que Cristo identifica seu pai como o Lavrador, a si mesmo como a Videira, e seus seguidores como os ramos. É o capítulo proeminente sobre viticultura bíblica.

Embora Jesus seja proeminente em todas as coisas, não podemos inseri-lo em cada folha de uva das Escrituras. Ele não quer se encaixar. Não *vai* se encaixar. Dito isso, acabaremos não entendendo a natureza revolucionária de sua realização como Videira em João 15 se não apreciarmos os outros significados da metáfora em outros trechos.

Na Bíblia, o vinhedo às vezes representa a prosperidade, ou a ausência dela — a devastação no cativeiro. Às vezes a videira representa uma mulher, ou mesmo uma amante. Às vezes representa uma mulher, fértil ao gerar filhos. Às vezes um vinhedo representa o povo de Deus.

Outras vezes uma única videira representa Israel. Esse é o caso da imagem que estudaremos neste capítulo.

Encontramos essa metáfora no centro do salmo 80, um cântico lamentoso de Asafe:

LOCAL

Restaura-nos, ó Deus dos Exércitos!
Que a luz do teu rosto brilhe sobre nós;
só então seremos salvos.
Tu nos trouxeste do Egito, como uma videira;
expulsaste as nações e nos plantaste no solo.
Limpaste o terreno para nós;
fincamos raízes e enchemos a terra.
Nossa sombra se estendeu por cima dos montes,
nossos ramos cobriram os altos cedros.
Estendemos nossos ramos até o Mediterrâneo,
nossos brotos se espalharam até o Eufrates.
Mas, agora, por que derrubaste nossos muros?
Todos que passam roubam nossos frutos.
Os javalis da floresta devoram a videira, animais
selvagens se alimentam dela.

Ó Deus dos Exércitos, suplicamos que voltes!
Olha dos céus e vê a nossa aflição.
Cuida desta videira que tu mesmo plantaste,
o filho que criaste para ti.

Salmos 80.7-15

Adoro como o salmista se dispõe a lembrar a Deus quem
o povo dele era para ele. A melhor parte é que essa abordagem foi ideia de Deus, para início de conversa. Ao registrar
esses versos na página permanente, Deus lembrava seu povo
de lembrá-lo disso. É claro que ele jamais esqueceria, mas,
pela generosidade de sua misericórdia, ele presenteou os de-
votos com a linguagem para rememorar a promessa que fez
a eles e com que lhe reivindicar a fidelidade para cumprir
essa promessa.

Não há nada de irreverente num adorador honesto que suplica: "Ó Deus, olha por teu povo e pelo lugar onde nos plantaste!". Questões de pessoas e lugares marcam a Bíblia do início ao fim.

Na ciência natural da viticultura, há os primeiros dois passos para plantar um vinhedo:

1. selecionar a variedade da uva
2. escolher um local para o vinhedo

Por isso estou curiosa. Será que Deus, o Lavrador, seguiu a mesma ordem? Em outras palavras, o que veio primeiro: o povo ou o local?

No Antigo Testamento, a seleção por Deus de seu povo, a quem ele mais tarde se referiria tanto como a videira quanto como o vinhedo, ocorreu em Gênesis 12.1: "O Senhor tinha dito a Abrão: 'Deixe sua terra natal, seus parentes e a família de seu pai e vá à terra que eu lhe mostrarei'".

À primeira vista, seria possível interpretar isso como o local tomando precedência em relação à pessoa. "Vá à terra." Isso talvez dê a impressão de que Deus reservou o terreno e então chamou o homem. Entretanto, Isaías 45.18 declara o que diversas passagens ecoam: Deus criou a terra de maneira deliberada com o propósito de habitá-la com seres humanos.

> Pois o Senhor é Deus; criou os céus e a terra [ele é Deus!] e pôs todas as coisas no devido lugar [ele construiu a terra; não a criou vazia, mas formou-a para que fosse habitada!].

A coroa da criação de Deus foram os *portadores de sua imagem*. Esta rocha a rodopiar, a terceira a partir do Sol, foi concebida de forma singular para hospedar a humanidade.

LOCAL

Portanto, é possível afirmar com acerto que os passos mais comuns da viticultura para preparar um vinhedo foram ordenados pelo Senhor: primeiro, a seleção da variedade da uva, e, em seguida, a seleção de um local para plantá-la. Expressado de outra maneira:

primeiro, o povo,
depois, o local
para o povo.

Eu era uma jovem adolescente quando o sucesso "Love the One You're With" [Ame a pessoa com quem você está] de Stephen Stills se tornou presença perpétua nas rádios. Por muitos anos, minhas amigas e eu citávamos a letra dessa canção e nos provocávamos umas às outras sobre viver segundo sua mensagem. Até mesmo utilizávamos essas palavras como desculpa para dançar com outros rapazes numa festa se nossos namorados não estivessem lá. Mais tarde, porém, sozinha no escuro da noite, decerto eu não era a única que se preocupava se eu havia sido escolhida apenas por estar ao alcance.

A letra da canção era, basicamente, um jogo astuto de palavras, mas quantos de nós já se sentiram desse jeito... como se alguém nos houvesse escolhido só por conveniência e, diante de complicações, nos deixasse por outra pessoa?

O que quero dizer é que os seres humanos são um pouco mais propensos a escolher o lugar primeiro, e depois a pessoa.

Não é assim que Deus funciona. Ele não o escolheu porque você calhou de estar no lugar certo na hora certa, ou porque não havia ninguém melhor nas redondezas. O braço de Deus não é nem curto nem fraco (Is 59.1). Ninguém está fora do alcance dele. Se ele o escolheu, ele o fez de propósito. Efésios 1.4 declara com clareza espetacular: "Mesmo antes de criar o mundo, Deus nos amou e nos escolheu em Cristo".

E acredite: se você foi escolhido por Deus, não há espaço para ambiguidades: *você é relevante*.

+ + +

Uma vez que Deus revelou quem seu povo seria, revelou então onde este cresceria e floresceria. A questão do *terroir* é significativa na história de Israel, pois por diversas vezes a videira (os descendentes de Abraão, na presente metáfora) foi arrancada pela raiz e replantada.

Apesar de toda essa preocupação com o *terroir*, Israel enfrentou uma batalha árdua em relação à ocupação do terreno em toda a Bíblia. Nos tempos dos patriarcas, a videira criou raízes tímidas, mas, ao fim de Gênesis, estas foram arrancadas do solo impotente e exaurido pela fome, e transplantadas para o solo egípcio regado pelo Nilo. Em vez de murchar e morrer, Israel prosperou de forma admirável — primeiro sob o favor dos faraós que tinham familiaridade com José, bisneto de Abraão, e depois sob um faraó que buscou com avidez prejudicar os israelitas.

De acordo com Êxodo 1.5, um total de setenta descendentes foi transplantado a princípio para o Egito. Então,

> seus descendentes, os israelitas, tiveram muitos filhos e netos. Multiplicaram-se tanto que se fortaleceram e encheram a terra.
>
> Êxodo 1.7

No Egito antigo, assim como hoje, o preconceito era alimentado pelo medo, e o novo faraó contava com um estoque considerável de combustível. O povo de Israel se tornou tão numeroso e forte que o faraó se viu envolvido por uma paranoia quanto à possibilidade de uma rebelião. Deu ordens para que seu povo forçasse os israelitas a trabalhar sem piedade e os afligisse até que estes obedecessem.

> Porém, quanto mais eram oprimidos, mais os israelitas se multiplicavam e se espalhavam, e mais preocupados os egípcios ficavam.
>
> Êxodo 1.12

Assim, o faraó fez o que qualquer ditador maníaco faria. Concebeu um plano para eliminar uma porção considerável da população que ele detestava. Deu ordens para que as parteiras egípcias matassem todos os meninos do povo hebreu tão logo eles nascessem. Temendo a Deus mais que ao faraó, as parteiras permitiram que os meninos vivessem, alegando que as mães eram tão saudáveis que os bebês nasciam antes que uma enfermeira chegasse.

Frustrado, o faraó teceu um segundo plano, mas, agora, não limitou a missão a parteiras incompetentes. Desta vez, ele espalhou a doutrinação de eliminação para todo o povo egípcio: "Lancem no rio Nilo todos os meninos hebreus recém-nascidos" (Êx 1.22).

Um desses meninos, um tesouro para os pais, como costumam ser os bebês, foi embrulhado pelas mãos trêmulas da mãe e escondido dentro de uma pequena arca feita de juncos de papiro e, para torná-la à prova de água, piche; essa arca foi então colocada entre a vegetação à beira do rio, onde a filha do faraó se banhava. A mãe se escondeu, o bebê chorou, e a estranha demonstrou piedade.

Moisés. O nome significa "retirado da água".

Então, oitenta anos e incontáveis lágrimas e temores mais tarde, temos esta cena:

> Depois de muitos anos, o rei do Egito morreu. Os israelitas, porém, continuavam a gemer sob o peso da escravidão. Clamaram por socorro, e seu clamor subiu até Deus. Ele ouviu os gemidos e se lembrou da aliança que havia feito com Abraão, Isaque e Jacó. Olhou para os israelitas e percebeu sua necessidade.
>
> Êxodo 2.23-23

Uma palavra: *percebeu*. Deus sempre percebe. No entanto, o que exatamente isso significa? Ele percebeu que os amava? Que eles lhe pertenciam? Isso não foi sempre verdade?

Tudo que Deus percebe, ele sempre soube. Será que isso significa que ele apenas percebeu que havia chegado a hora? Que eles haviam suportado o fardo por tempo suficiente? Que ele havia escutado os lamentos do povo por tempo demais?

Décadas antes, Moisés havia tomado a lei em suas próprias mãos ao matar um egípcio por espancar um hebreu. Agora, o Senhor encontrou Moisés na região oeste do deserto, depois que este fugiu do faraó. E Deus enviou o homem retirado do Nilo de volta para o Nilo para guiar o povo escolhido para longe do Nilo.

Agora preste atenção aos versos do canto lamentoso de Asafe:

> Tu nos trouxeste do Egito, como uma videira.
>
> Salmos 80.8

O salmo foi escrito séculos após a saga de Moisés, mas o povo de Deus de novo precisava ser salvo com urgência, pois viviam longe de casa como escravos. Os versos lhes dão voz para, em essência, pedir a Deus: "Faça aquilo outra vez!".

Deus percebeu sua necessidade. Deus percebeu que a escravidão não era o fim da história de seu povo. Percebeu que o inimigo não conquistaria a vitória final. Percebeu que cumpriria sua promessa de maneira dramática. Ele os havia salvado antes, e os salvaria de novo. O mesmo vale para você, esteja você lutando contra um governante cruel ou com uma doença cruel, esteja enfrentando um exército invasor ou sua própria ansiedade.

Deus transplantou a videira — arrancou-a do chão e levou-a para o Egito, com quatro séculos de raízes pendentes, para plantá-la de volta no solo apropriado. Em sua casa. Em seu verdadeiro *terroir*.

Não é por acaso que o salmo 80 começa com uma referência a José: "Ouve, ó Pastor de Israel, que conduz os descendentes de José como um rebanho".

A menção a José é de suprema importância, pois o salmo passa rápido do tema do pastor do rebanho para incluir uma parábola da videira. O patriarca Jacó (a quem Deus renomeou como Israel) ofereceu bênçãos proféticas a cada um dos filhos pouco antes de morrer. Essas bênçãos se aplicavam não apenas ao indivíduo especificado pelo nome, mas também à tribo que descenderia de cada um.

Tenha em mente que toda a família de Jacó, setenta pessoas ao todo, se encontrava no Egito na época em que essas declarações foram feitas. Ela havia sido reunida no que, para ela, era uma terra inteiramente estrangeira. A destruição que os filhos mais velhos haviam planejado quando venderam o irmão mais novo, José, como escravo havia sido transformada por Deus em algo bom. Olhando ao longe por sobre o ombro, José reconheceu que foi Deus mesmo que o enviou adiante da família a fim de lhes preservar a vida durante a época de escassez.

Depois de oferecer bênçãos e profecias a dez de seus doze filhos, Jacó voltou o olhar para o décimo-primeiro, o amado José, e emitiu palavras que pintavam uma imagem significativa:

> José é árvore frutífera,
>   árvore frutífera junto à fonte;
>   seus ramos se estendem por cima do muro.
>
> Gênesis 49.22

É claro que o que José enfrentou ainda estava vívido em sua mente. Os setenta parentes haviam acabado de se reunir. As feridas da família mal haviam começado a cicatrizar. Entretanto, o fato era que, enquanto o resto da família havia passado fome em sua terra natal, primeiro pela escassez da alma e depois pela escassez do corpo, José, aquele que havia sido injustiçado, vivia, de forma inexplicável, uma vida frutífera.

O processo havia sido longo e doloroso? Sim. O que os irmãos lhe haviam feito era errado? Sim. Eles haviam assumido a responsabilidade? Sim. Deus lhes havia compensado a escravidão para sempre? Sim.

O *VERDADEIRO ENCAIXE* É ENCONTRADO APENAS NA PALMA SOBERANA DE DEUS.

LOCAL

Será que, no fim das contas, a dor valeu a pena para José?

Talvez ele ponderasse essa pergunta quando parou de olhar para trás e passou a fitar o que havia diante de si. Ele teria visto tanto velhos quanto jovens. Teria visto homens, mulheres e crianças. Teria ouvido conversas, quem sabe risos e cantorias.

Quando José fitou o rosto dos parentes que haviam sido poupados, será que a duração e profundidade do sofrimento dele valeu a pena? Sim, sem dúvida. Deus havia transplantado a videira para o Egito para que esta sobrevivesse, e depois, na época certa, ele a arrancou do Egito para replantá-la em sua terra natal.

Esse processo também não transcorreria totalmente sem percalços, mas Deus não é outra coisa senão paciente. Israel iria a Canaã, cujas muralhas se ergueriam ao redor de Jerusalém. Elas também tombariam um dia, e as raízes da videira voltariam a ser açoitadas pelo vento.

Por ora, porém, retornemos ao salmo 80 e observemos os nomes que se seguem à menção a José.

> Ouve, ó Pastor de Israel,
>> que conduz os descendentes de José como um rebanho.
> Tu que estás entronizado acima dos querubins,
>> manifesta teu esplendor
>> a Efraim, a Benjamim e a Manassés.
> Mostra-nos teu poder
>> e vem salvar-nos!
>
> Salmos 80.1-2

Quero chamar atenção especial ao nome de Efraim aqui — o filho mais jovem de José. José deu a ambos os filhos nomes cheios de significado, mas Efraim é aquele com relevância em tons de roxo escuro no cultivo da videira escolhida por Deus.

39

José chamou o segundo filho de Efraim, pois disse: "Deus me fez prosperar na terra da minha aflição".

Gênesis 41.52

Não *antes* da terra de sua aflição. Não *depois* da terra de sua aflição. Bem no *meio* da terra de sua aflição. Nunca confunda fecundidade com felicidade. Isso não quer dizer que gerar frutos não seja divertido. Entretanto, se equiparar os dois — produtividade e diversão —, você perderá algumas das oportunidades mais férteis de gerar frutos inexplicáveis. Às vezes, o Nilo lhe servirá melhor que o Jordão.

+ + +

Nada é mais confuso que se sentir plantado em algum lugar que você não tem certeza de ser o seu lar, e depois ser arrancado pela raiz e transplantado para outro local. Sem aviso, você enfrenta a possibilidade de ter de começar tudo de novo. Você tinha o seu *terroir*. Tinha o seu senso de localização. Pensava que sabia como as coisas iriam funcionar. Seu futuro parecia claro. Seu povo se encontrava por perto. E agora você se sente como um estranho numa terra estranha.

Às vezes, você permanecerá nessa terra pouco familiar por mais tempo do que havia imaginado. Outras vezes, Deus o desenraizará e o levará de volta a sua terra natal, onde você se dará conta da realidade desnorteante de que, embora o local não tenha mudado, você mudou.

Passamos a vida à procura do lar. Ansiamos por um senso de localização. Temos raízes pendendo no ar, levadas pelo vento, procurando de maneira frenética um *terroir* adequado.

Acontece que isso é parte do mistério. Parte do romance, até. Por enquanto, não é possível encontrar o nosso *terroir* em nenhum lote de solo terrestre.

José e Maria conheciam bem essa sensação. Seu lar era Nazaré. Lá vivia o povo deles. Lá se situava sua sinagoga. No entanto, um censo os levou a uma árdua jornada a Belém, terra natal de José, onde Maria deu à luz o filho não de José, seu noivo, mas do Deus Altíssimo. O casal se demorou por lá até que os sábios do oriente, que buscavam aquele que havia nascido rei dos judeus, tiveram tempo para encontrá-lo e oferecer-lhe presentes e tributo. Durante todo esse tempo, decerto o jovem casal mantinha a expectativa de voltar para casa, para seu solo nativo. Então, enquanto ainda estavam em Belém, a videira foi transplantada para um local muito interessante.

Depois que os sábios partiram, um anjo do Senhor apareceu a José em sonho. "Levante-se", disse o anjo. "Fuja para o Egito com o menino e sua mãe. Fique lá até eu lhe dizer que volte, pois Herodes vai procurar o menino a fim de matá-lo."

Naquela mesma noite, José se levantou e partiu com o menino e Maria, sua mãe, para o Egito, onde ficaram até a morte de Herodes. Cumpriu-se, assim, o que o Senhor tinha dito por meio do profeta: "Do Egito chamei meu filho".

Mateus 2.13-15

Depois da morte de Herodes, Deus desenraizou José, Maria e Jesus outra vez e os plantou de volta no solo familiar de Nazaré.

"Tu nos trouxeste do Egito, como uma videira", cantou o salmista.

Bem, nesse caso, não era apenas uma videira. Aquela se revelaria *a* Videira. É interessante notar que a Videira nunca encontrou de fato seu solo nativo aqui.

Há alguns mistérios na viticultura que não encontram explicações de todo satisfatórias na ciência. Só nos cabe apreciá-los. Entre eles, está o *terroir*. O melhor vinicultor da Toscana poderia plantar uma videira no local perfeito, mas não tem como forçar o solo a obedecer. Poderia escolher o clima certo, mas não é capaz de controlar as condições atmosféricas. Poderia envidar esforços para manter uma uniformidade quanto à irrigação e aos fertilizantes, mas não conseguirá forçar a videira a produzir o mesmo vinho produzido pela videira vizinha atada à mesma treliça. É possível estudar os mistérios do *terroir*, mas não é possível solucioná-los.

O mesmo se aplica a nós. Nada nos atormenta mais que nossa busca por encontrar, por fim, um senso de localização. Na realidade, o verdadeiro encaixe é encontrado apenas na palma soberana de Deus. Só lá encontramos nossa paz, mesmo em meio às épocas de mudança, plantio, desenraizamento, e replantio.

É apenas quando encontramos nosso lugar no Senhor que encontramos repouso. Davi enunciou isso com bela simplicidade:

A minha alma descansa somente em Deus.

Salmos 62.1, NVI

Embora o caminho para essa descoberta seja com frequência doloroso, a descoberta em si pode ser um alívio — e não apenas para nós. Ela nos fornece o espaço para nos espalharmos e crescermos, e alivia nossos outros amores de um fardo pesado demais para carregar.

E lá conseguiremos produzir frutos misteriosos.

3
Uvas

Eu não dava a mínima para uvas até a viagem a Toscana. Bem que eu gostaria de afirmar o contrário. Gostaria de lhe contar que essa foi minha paixão por toda a vida e que minha mãe costumava dizer: "Essa menina comia o próprio peso em uvas antes que seu primeiro dente lhe nascesse na boca". Seria ótimo se eu tivesse como retratar tudo isso como Deus me levando a cumprir meu destino, mas não foi assim que aconteceu.

Até um ano atrás, eu defendia a opinião arrogante de que a uva era embaraçosamente inferior à cereja. As duas frutas nem mesmo mereciam ser colocadas na mesma seção no mercado. Eu também acreditava que os morangos deixavam as uvas bem para trás. Se eu fosse forçada a comer frutas, pelo menos dava para mergulhar o morango em chocolate. Se me encarregassem da decisão sobre o que comprar da seção de frutas e legumes, eu toda vez optaria por uma melancia, deixando as uvas de lado.

Em resumo, a uva me desinteressava. Em minha opinião, a uva era o limão de todas as frutas, inclusive do próprio limão. Essa é uma admissão vergonhosa depois de tudo que estudei nos últimos meses, pois o que planejo demonstrar a você é que Deus parece ter um lugar especial em seu coração — e nas santas páginas — para as uvas.

O QUE APRENDI COM AS VIDEIRAS

+ + +

Num mundo cristão varejista em que os estudos da Bíblia estão disponíveis em inúmeros formatos especializados, desde *A Bíblia do Bombeiro* até *A Bíblia da Vovó*, uma leitura casual da longuíssima lista de plantas citadas nas Escrituras levaria alguém a se perguntar como conseguimos nos esquecer de criar *A Bíblia de Estudo dos Botânicos*. Procure por "plantas" num dicionário bíblico decente, e você descobrirá diversas páginas ilustradas com arbustos, gramíneas, ervas, talos, flores e árvores num campo tão vasto que vai de *A* de *acácia* até *Z* de *zimbro*.

Uma viajante diligente percorrendo as planícies frutíferas das Escrituras poderia devorar o próprio peso em amêndoas ou, se preferir uma combinação de castanhas, misturá-las num jarro com nozes e pistaches. Se a rota das nozes exceder o máximo aconselhável de ingestão diária de proteínas, ela poderia atravessar a Bíblia comendo apenas cereais. Se ela considerar os carboidratos um destino pior que a morte, a viajante poderia se deliciar com alho-poró, alho, azeitonas e cebolas, e depois curar o mau hálito com hortelã.

Se pisar num espinho, poderia aliviar a dor do pé com aloé. Se a pele desenvolver furúnculos, poderia preparar um emplastro de figo. Se encontrar uma víbora, poderia golpeá-la com um junco. Se precisar tirar uma soneca, poderia fazê-lo em meio às tifas. Se os cabelos embranquecerem, poderia retocá-lo com hena. Ao fim da jornada, poderia deixar esse campo luxuriante levando consigo a mais verdadeira flor de Sarom e o lírio que cresce no vale.

Numa Bíblia repleta de vida vegetal, nenhuma planta recebe mais espaço ou é mencionada com maior frequência que a videira. Conte todas as aparições da palavra *uva* e acrescente as de sua companheira *vinhedo*, e a soma derrotará de lavada as da oliveira, a segunda colocada — mesmo apesar da posição bem merecida da azeitona como ícone do mundo mediterrâneo. Conceda à uva o crédito merecido, é só isso que estou dizendo. A tinta mal havia secado em "Haja luz" antes da primeira menção de uma videira em Gênesis 9. Então, depois de rolar pelos salões santificados de ambos os Testamentos, a uva faz sua última aparição nas Escrituras lá pela metade de Apocalipse.

Eu sei, eu sei. Tudo isso leva à pergunta: "Quem se importa?". Siga o meu raciocínio, e espero conseguir demonstrar a você que nós nos importamos porque Jesus escolheu as videiras e os vinhedos para algumas de suas figuras de linguagem mais importantes em toda a teologia. Essas metáforas não foram escolhas aleatórias. Foram deliberadas. Multifacetadas. Com variados propósitos. Muito se esconde sob a casca das uvas.

Em nossa busca por significado, por uma vida relevante, a humilde uva tem muito a dizer. Perdoe meu enorme entusiasmo, mas há poder nessa polpa. Depois de estudar o fruto do vinhedo, descobri que minha visão dos ensinamentos de Cristo havia sido remodelada por completo. Tenho otimismo suficiente para crer que o mesmo pode acontecer com você.

Meu propósito neste capítulo é fornecer uma visão geral do papel das uvas e vinhedos nas Escrituras, um panorama da capa à contracapa. Nos capítulos seguintes, aproximarei a lente um pouco mais; por enquanto, porém, avancemos devagar com um ângulo mais amplo.

As numerosas referências na Bíblia a uvas, vinhedos e videiras abrangem uma vasta gama de utilizações. Às vezes, os termos são tão literais quanto as uvas que lavo sob a torneira da cozinha. Outras vezes, são simbólicos. Contudo, mesmo dentro da categoria do simbolismo, eles ostentam uma diversidade impressionante.

Em Gênesis 40.9-11, as uvas servem como imagens do sonho relatado pelo chefe dos copeiros a José, seu companheiro de cela, que as interpretou como a notícia auspiciosa de que o copeiro em breve retornaria ao serviço do faraó.

As uvas também são simbólicas em sua aparição final no Apocalipse. Entretanto, seu contexto aqui, em vez de caloroso e acolhedor, é arrepiante.

> Então ainda outro anjo, que tinha poder para destruir com fogo, veio do altar e gritou bem forte para o anjo que segurava a foice afiada: "Agora use sua foice para ajuntar os cachos de uvas da videira da terra, pois estão maduras!". O anjo passou a foice sobre a terra e encheu de uvas o grande tanque de prensar da fúria de Deus. As uvas foram pisadas no tanque, fora da cidade, e dele correu sangue como um rio de quase trezentos quilômetros de comprimento, com altura que chegava aos freios de um cavalo.
>
> Apocalipse 14.18-20

No século 20, a associação das uvas com o juízo divino despontou, não na Bíblia, mas na capa de *As vinhas da ira* de John Steinbeck, romance vencedor do Prêmio Pulitzer. Pergunte a alguém que seja, no mínimo, tão velho quanto eu e dotado de um parco entendimento das Escrituras o que as uvas têm a ver com Deus, e a resposta mais popular será "ira". Sem tirar uma gota do simbolismo no Apocalipse, porém, a imagem da uva e da videira apresenta temas mais definitivos em outros pontos da Bíblia.

Para abrir o apetite, aqui vão algumas aparições de outras uvas ou videiras que carregam peso considerável.

UVAS

Talvez a menção mais pesada, em termos literais, ocorra quando os israelitas se encontram no limiar da Terra Prometida, depois de vagarem pelo deserto por quarenta anos. Não há nada de aleatório no número quarenta. Deus lhes designou um ano de travessia para cada dia que os batedores hebreus investigaram a boa terra e tiveram a audácia de retornar com um relatório ruim:

"Não podemos enfrentá-los! São mais fortes que nós!"

Números 13.31

Apenas Calebe e Josué voltaram com fé transbordante de que Deus cumpriria o que havia prometido. A confiança inabalável de Calebe é como um uniforme de combate bem engomado:

"Vamos partir agora mesmo para tomar a terra!", disse ele. "Com certeza podemos conquistá-la!"

Números 13.30

Há pouco tempo, li um artigo sobre um estudo importante conduzido por acadêmicos do Laboratório de Mídia do Instituto de Tecnologias de Massachusetts. Os resultados sugeriam que, no Twitter, os boatos mentirosos viajavam "mais longe, mais rápido, de forma mais profunda e ampla do que a verdade em todas as categorias de informação".[1] O estudo se limitava ao Twitter, mas, com certeza, não se pode afirmar o mesmo do fenômeno em si. Trata-se de algo tão antigo quanto as escolas do ensino médio. Os seres humanos devoram más notícias. Podemos até insistir que as detestamos, mas clicamos mesmo assim — e franzimos a cara — provando o contrário.

Números 14 serve como uma demonstração perfeita desse fenômeno. O relatório negativo criou raízes e cresceu como um caule basal, formando fantasias desastrosas.

Então toda a comunidade começou a chorar em voz alta e continuou em prantos a noite toda. Suas vozes se elevaram em grande protesto contra Moisés e Arão. "Ah, se ao menos tivéssemos morrido no Egito, ou mesmo aqui no deserto!", diziam. "Por que o SENHOR está nos levando para essa terra só para morrermos em combate? Nossas esposas e crianças serão capturadas como prisioneiros de guerra! Não seria melhor voltarmos para o Egito?" E disseram uns aos outros: "Vamos escolher um novo líder e voltar para o Egito!".

Moisés e Arão se curvaram com o rosto em terra diante de toda a comunidade de Israel. Dois dos homens que tinham feito o reconhecimento da terra, Josué, filho de Num, e Calebe, filho de Jefoné, rasgaram suas roupas e disseram a toda a comunidade de Israel: "A terra da qual fizemos o reconhecimento é muito boa! E, se o SENHOR se agradar de nós, ele nos levará em segurança até ela e a dará a nós. É uma terra que produz leite e mel com fartura. Não se rebelem contra o SENHOR e não tenham medo dos povos da terra. Diante de nós, eles estão indefesos! Não têm quem os proteja, mas o SENHOR está conosco! Não tenham medo deles!".

Ainda assim, toda a comunidade começou a falar em apedrejar Josué e Calebe. Então a presença gloriosa do SENHOR apareceu na tenda do encontro a todos os israelitas, e o SENHOR disse a Moisés: "Até quando este povo me tratará com desprezo? Será que nunca confiarão em mim, mesmo depois de todos os sinais que realizei entre eles?".

Números 14.1-11

Quando Deus ameaçou destruir todos eles e presentear Moisés com uma nação melhor e mais poderosa, Moisés

SEU FRUTO DURARÁ MAIS QUE SUA VIDA.

intercedeu e pediu a Deus que lhes perdoasse as iniquidades, assim como os havia perdoado até então (Nm 14.19). Deus os perdoou, mas sentenciou a nação a quarenta anos no deserto — tempo suficiente para que os esqueletos dos infiéis adornassem a areia, depois que os chacais lhes devorassem toda a carne e que o sol radiante os alvejasse. Apenas Calebe e Josué sobreviveram aos demais e reivindicaram a Terra Prometida. Nem mesmo os pés de Moisés se sujaram numa única partícula de seu solo.

Lá, nas planícies de Moabe, à beira de Canaã, Moisés transmitiu as instruções finais aos israelitas, conhecidas por nós como o livro de Deuteronômio, antes de escalar o monte Nebo, onde sua vida extraordinária chegou ao fim. Ele lembrou os israelitas da história humilde deles, de como foram escolhidos por Deus, e da aliança renovada entres eles e o Senhor. Como um pregador golpeando um púlpito de madeira, conclamou-os a se provarem fiéis, e prometeu bênçãos divinas para os que obedecessem e maldições de sobra aos desobedientes.

Dentro desse discurso, Moisés descreveu a terra logo além do Jordão em palavras repletas de figuras de linguagem com maior brilho do que um cartão-postal panorâmico.

O QUE APRENDI COM AS VIDEIRAS

Pois o Senhor, seu Deus, está levando vocês para uma terra boa, com riachos e tanques de água, com fontes que jorram nos vales e colinas. É uma terra de trigo e cevada, com vinhedos, figueiras e romãzeiras, com azeite e mel. É uma terra onde há muito alimento e não falta coisa alguma. É uma terra onde há ferro nas rochas e cobre em grande quantidade nos montes. Quando tiverem comido até se saciarem, lembrem-se de louvar o Senhor, seu Deus, pela boa terra que ele lhes deu.

Deuteronômio 8.7-10

Aqueles que, como eu, costumam utilizar marcadores de texto podem iluminar com tinta amarela ensolarada o oitavo versículo, destacando cada tipo de comida que entrou na lista e encontrando exatamente sete: trigo, cevada, uvas, figos, romãs, azeitonas e mel. Decerto a variedade que a terra tinha a oferecer excedia esses sete itens. A questão era completude. "Não falta coisa alguma." Cada produto agrícola servia múltiplos propósitos, como a oliveira que produzia não apenas a azeitona, mas também o azeite.

A terra em que os israelitas entrariam era uma "boa terra".[2] Essa descrição em duas palavras tem o intuito de ser guardada na memória, aparecendo dez vezes em Deuteronômio. Adoro qualquer cereal, trigo ou cevada, em especial quando se transforma em pão quentinho nas mãos de um hábil padeiro (e, modestamente, atrevo-me a afirmar que me qualifico de vez em quando nessa categoria). E nada é melhor numa fatia de torrada na manhã seguinte do que uma compota de figo. Sou capaz de devorar de uma vez só um pote de azeitonas, sejam verdes ou pretas, e sou apaixonada por mel, embora a maioria dos estudiosos acredite que o mel em Deuteronômio 8.8 fosse extraído de tâmaras, e não dos favos da colmeia. Sou fã de tâmaras também, mas mais em teoria do que no prato. Romãs, por outro lado, são um deleite para mim. Se eu fosse Deus, eu teria considerado a hipótese de romãs sem sementes. Como elas se propagariam, não faço ideia, mas se eu fosse Deus, imagino que saberia. Tudo isso, é claro, nos leva à rotatória que pretendo circular até nos sentirmos tontos: a da videira.

A uva, orgulhosa de suas finalidades diversas, oferecia ao mundo antigo uma vida útil praticamente sem comparação. As uvas eram comidas frescas, direto da videira. Secas, tornam-se uvas passas e, na Bíblia, estas eram consumidas puras ou assadas em bolos. Espremidas, produziam suco fresco, ou, o que era mais significativo, eram transformadas por completo, adquirindo novas propriedades e composição química, em vinagres e vinhos.

No caso de você ter se distraído, como acontece comigo com frequência, permita-me explicar de novo. Observe a cápsula de ação prolongada conhecida como a uva comum:

uvas maduras (para agora) → uvas secas (para daqui a pouco e mais tarde) e uvas envelhecidas (para mais tarde e mais tarde ainda) — fermentadas, espremidas e descascadas até que fluam num líquido capaz de durar mais que uma vida mortal

Segundo o conselheiro de casamentos favorito das Escrituras, as passas são essenciais para os recém-casados entusiásticos. Afinal, quem tinha mais prática que Salomão no que diz respeito ao casamento?

Fortaleçam-me com bolos de passas [...]
    pois desfaleço de amor.

Cântico dos cânticos 2.5

A uva é a perfeccionista contumaz dentre as frutas. Das sementes, faça óleo de uva. Coloque as folhas na salmoura, ferva-as e seque-as, e depois recheie-as com uma mistura gloriosa de arroz, pinhões, cebolas, salsa, endro, hortelã, sal e pimenta, e em seguida refogue-as até a perfeição em azeite de olivas, e *voilà! Dolmathakia!*

+ + +

A menção mais famosa a uvas no Antigo Testamento se encontra na mesma narrativa que discutimos antes, quando os espias retornaram com um relatório negativo da boa terra. A cena que antecede a tirada pessimista torna as reclamações deles ainda mais lamurientas. Deixarei o próprio Moisés contar a história. Não perca uma palavra.

Quando Moisés os enviou para fazer o reconhecimento da terra, deu-lhes as seguintes instruções: "Subam pelo Neguebe até a região montanhosa. Vejam como é a terra e descubram se seus habitantes são fortes ou fracos, poucos ou muitos. Observem em que tipo de terra vivem, se é boa ou ruim. As cidades têm muralhas ou são desprotegidas como campos abertos? O solo é fértil ou pobre? A região tem muitas árvores? Façam todo o possível para trazer de volta amostras das colheitas que encontrarem". (Era a época da colheita das primeiras uvas maduras.)
Eles subiram e fizeram o reconhecimento da terra [...]. Quando chegaram ao vale de Escol, cortaram um ramo com um só cacho de uvas tão grande que dois deles precisaram carregá-lo numa vara. Levaram também amostras de romãs e figos. Aquele lugar recebeu o nome de vale de Escol, por causa do cacho de uvas que os israelitas cortaram ali.
Depois de passarem quarenta dias explorando a terra, os homens retornaram a Moisés, a Arão e a toda a comunidade de

Israel em Cades, no deserto de Parã. Relataram o que tinham visto a toda a comunidade e mostraram os frutos que trouxeram da terra. Este foi o relatório que deram a Moisés: "Entramos na terra à qual você nos enviou e, de fato, é uma terra que produz leite e mel com fartura. Aqui está o tipo de fruto que nela há. Contudo, o povo que vive ali é poderoso, e suas cidades são grandes e fortificadas. Vimos até os descendentes de Enaque! Os amalequitas vivem no Neguebe, e os hititas, jebuseus e amorreus vivem na região montanhosa. Os cananeus vivem perto do litoral do mar Mediterrâneo e no vale do Jordão".

Calebe tentou acalmar o povo que estava diante de Moisés. "Vamos partir agora mesmo para tomar a terra!", disse ele. "Com certeza podemos conquistá-la!"

Números 13.17-21,23-30

As uvas não crescem sozinhas; elas se desenvolvem em cachos. Suba as mais belas colinas do mundo e atravesse seus vales férteis, e encontrará cachos de uvas de todos os tipos de cores — rosadas, roxas, rubis, verdes, pretas, azul-escuras, amarelas e alaranjadas — num total espantoso de dez mil variedades. Não me diga que isso não é impressionante.

A palavra hebraica para "cacho" é *eshcol*. Um ramo com um único cacho de uvas precisou ser carregado por dois homens adultos numa vara entre eles — aí está uma fruta bem pesada. Um horticultor sugere que essas uvas fossem da variedade síria conhecida por produzir cachos de entre nove a treze quilos.[3] Fosse qual fosse a variedade, isto é certo: a fruta da terra prometida tinha um peso considerável.

Milhares de anos mais tarde, na mesma terra, cresceu uma Videira que, segundo todas as aparências, era comum. A Videira fez uma promessa a onze ramos — os doze menos Judas — contanto que eles obedecessem.

Muitos frutos. Frutos pesados. Frutos densos. O fruto mais produtivo de todo o mundo.

Era a época da colheita das primeiras uvas maduras.

Números 13.20

Por meio de Jesus Cristo, você faz parte da linhagem daqueles mesmos carregadores de uvas. Talvez você se sinta preterido. Invisível. Inviável. Talvez acredite que Deus convoca outras pessoas a contribuírem e utilizarem seus dons para os nobres propósitos dele, mas que o seu próprio ramo parece vazio. Talvez você não se sinta nem um pouquinho como a resposta a uma promessa. Ou talvez lhe pareça que, em dado momento, você demonstrou grande potencial e seus dons foram confirmados, mas que, por algum motivo desconcertante, toda aquela promessa pareceu se dissipar e dar em nada.

Se essa descrição se aplica a você, então quero que saiba que, se você está em Cristo, sua vida está ligada àquele que é a vida. Nada em você é desprovido de significado, pois aquele que o define e que faz uso de você é tudo. Sua identidade é parte daquele cujo nome reverbera acima de qualquer outro nome e cuja fama dura para sempre.

Além disso, você não está sozinho. Você conta com irmãos e irmãs no mundo inteiro. Sua conectividade é inquebrável. Você é parte de uma comunidade de santos que todos os demônios em todo o abismo não são capazes de derrotar.

Seu fruto durará mais que sua vida. Nem sempre é possível observar as consequências, pois estas são eternas, mas, algum dia, você as verá. Algum dia, você saberá que não poderia ter sido mais relevante se tivesse tentado.

PARTE II

O lavrador

Agora, cantarei a meu amado
uma canção sobre seu vinhedo:
Meu amado tinha um vinhedo
numa colina muito fértil.

ISAÍAS 5.1

4
Canção

Há não muito tempo tive a oportunidade de ouvir o poeta Christian Wiman recitar sua poesia. Compareci ao evento com Melissa, minha filha, já que Wiman é um de seus escritores favoritos, e ela é uma de minhas pensadoras favoritas. O belo cenário teria feito tolerável até um concerto de saxofonistas de onze anos de idade. Formávamos um grupo peculiar, enfurnados num chalé de calcário na região de Texas Hill Country no alto do outono, quando as árvores se vangloriavam de sua cor intensa e os sons da cidade soavam tão distantes que era possível ouvir os talos das folhas, tão grandes quanto pratos, se desprendendo dos galhos.

O chalé se debruçava sobre um rio límpido e estreito da cor da luz do sol refletida numa velha garrafa de *Sprite*, uma visão a ser apreciada a partir do lento embalo das cadeiras de balanço na varanda. Há bastante tempo para se demorar por lá, já que a rede Wi-Fi só está disponível no balcão da recepção num espaço mais ou menos do tamanho de um cubículo de banheiro, mas com ambiente mais agradável. Os quartos no nosso prédio não eram numerados. Levavam o nome de poetas. Fui alojada em Browning, enquanto Melissa estava no quarto ao lado com Tennyson. E o café era bom. Nenhum lugar no planeta é bom o suficiente para café ruim.

Wiman, professor da Universidade Yale, contou um pouco de sua história, e pensei em como ele dava a impressão de viver absolutamente livre de qualquer desejo pelos holofotes. Ele não me passou a ideia de estar pouco impressionado conosco, mas de se sentir pouco impressionado consigo mesmo, uma qualidade que considero bem irresistível num orador. Ele conquistou o dom da profundidade a um preço colossal, tendo fitado o abismo cinzento da morte no ápice de sua vida e conseguido se segurar na beirada.

Como sou maníaca por autobiografias, eu teria me contentado se tudo que o poeta houvesse feito fosse falar sobre seu tumultuado caso de amor com a poesia. Não foi só isso que fez. Depois de quinze minutos contando sua história, ele leu para nós. Não, ele recitou para nós. Recitou o que sua caneta havia rompido e sangrado na página. Fomos os espectadores de uma transfiguração, não da forma de Wiman, mas de sua fala. As frases retumbavam e trovejavam, não com volume, mas com força. Não eram tão carregadas na articulação que a arte passasse despercebida aos ouvintes.

Não gosto apenas de palavras. Gosto de sílabas também, e ali estava um homem que sabia como utilizá-las. Algumas consoantes apresentavam oclusões vigorosas, como o salto afiado de um sapato batendo num ladrilho de granito. Outras deslizavam, tombavam e rolavam como se as arestas houvessem sido apagadas com a borracha cor-de-rosa no topo de um lápis de grafite macio. As linhas eram rítmicas, mas não previsíveis — pense na forma rítmica com que uma folha de figueira rola pela grama, soprada por brisas e rajadas de vento. A poesia é música para aqueles que não precisam de canto para ter uma canção. A variedade de Wiman não era nenhuma escala rotineira na clave de sol. Aquelas notas provinham

CANÇÃO

da clave de fá, do que os autores do Novo Testamento chamavam de *tá splágchna* — das vísceras ou, para aqueles com estômago para isso, dos intestinos. Das entranhas.

Costumamos pensar em termos das profundezas do coração, mas qualquer cirurgião lhe atestará que não há nada mais profundo que as entranhas.

Isaías era poeta, assim como a maioria dos profetas do Antigo Testamento. Veremos que Deus o utilizou para registrar no papel os versículos mais emblemáticos do vinhedo divino na extensão entre Gênesis e Malaquias — versículos que, com quase toda certeza, ocupam um grande espaço no pano de fundo dos ensinamentos de Cristo sobre a videira e os ramos. Essa passagem em Isaías é a chave para revelar o panorama geral do vinhedo em toda a Bíblia, por isso passaremos algum tempo aqui com o profeta e sua canção sobre o vinhedo.

Não importa se Isaías era ou não poeta antes que Deus se apoderasse dele, pois ele conquistou seu diploma literário quando a tinta do capítulo 66 secou no livro que leva seu nome. Com exceção dos capítulos 6—8 e do interlúdio histórico encontrado nos capítulos 36—39, a mão de Deus guiou a pena pelo pergaminho de Isaías quase que inteiramente na forma de poesia em hebraico.

Os milagres gravados nas páginas das profecias de Isaías apresentam surpresas e reviravoltas inesperadas, para que o leitor não pense que Deus segue uma rotina ao realizar seus milagres. Em Gênesis, a terra infértil gera frutos. Em Isaías, a virgem dá à luz. Em Êxodo, Deus abre uma verdadeira faixa de deserto no mar para que os israelitas atravessem em terra seca. Ele realiza a versão em água fresca do mesmo milagre em Josué quando este os guia através de um rio dividido, do deserto até a Terra Prometida. No entanto, observe o reverso em Isaías, quando o próprio Deus delineia o contraste.

Eu sou o SENHOR, seu Santo,
   Criador e Rei de Israel.
Eu sou o SENHOR, que abriu uma passagem no meio das águas,
   um caminho seco pelo mar. [...]
Esqueçam tudo isso,
   não é nada comparado ao que vou fazer.
Pois estou prestes a realizar algo novo.
   Vejam, já comecei! Não percebem?
Abrirei um caminho no meio do deserto,
   farei rios na terra seca.

Isaías 43.15-16,18-19

Notou a última linha — "rios na terra seca"? É uma inversão intencional do que Deus realizou nos tempos de Moisés e Josué, quando colocou uma faixa de terra seca, por assim dizer, no meio das águas para que seu povo atravessasse por terra firme. A reviravolta desperta uma espécie de questionamento. Você imagina que todos os milagres de amanhã se parecerão com os de ontem? Imagina que a salvação divina sempre ocorre da mesma maneira? Imagina que o Criador do céu e da terra se satisfaz em reprimir sua criatividade?

É isso que você imagina, Beth?

Quero dizer que não. Quero acreditar que não. Contudo, não estamos todos predispostos a presumir que sim?

Os céticos quanto à inspiração divina de Isaías teriam de tapar os ouvidos para não ouvir Jesus lhe aplicar repetidas vezes o carimbo de aprovação nos evangelhos. Mateus, Marcos, Lucas e João registram oito ocasiões em que Jesus citou Isaías, e o número de ocasiões em que ele mesmo cumpriu as profecias de Isaías é de arregalar os olhos.

Em sua terra natal, Jesus iniciou sua pregação pública ao se apossar abertamente do cargo descrito nos primeiros versículos de Isaías 61. Ele deixou sua intenção tão clara que a multidão extasiada logo se enfureceu e tentou empurrá-lo de um precipício. Não havia meias-palavras ali:

> Quando Jesus chegou a Nazaré, cidade de sua infância, foi à sinagoga no sábado, como de costume, e se levantou para ler as Escrituras. Entregaram-lhe o livro do profeta Isaías, e ele o abriu e encontrou o lugar onde estava escrito:
>
> "O Espírito do Senhor está sobre mim,
>> pois ele me ungiu para trazer as boas-novas aos pobres.
> Ele me enviou para anunciar que os cativos serão soltos,
>> os cegos verão,
>> os oprimidos serão libertos,
> e que é chegado o tempo do favor do Senhor".
>
> Jesus fechou o livro, devolveu-o ao assistente e sentou-se. Todos na sinagoga o olhavam atentamente. Então ele começou a dizer: "Hoje se cumpriram as Escrituras que vocês acabaram de ouvir".
>
> Lucas 4.16-21

Para mim, as figuras históricas proeminentes na Bíblia se parecem mais com pessoas e menos com lendas quando tento imaginar a aparência delas. Para me ajudar a conceber Isaías como o poeta-profeta que era, decidi imaginá-lo com traços semelhantes aos de Christian Wiman, o poeta que liderou o evento a que Melissa e eu comparecemos.

Preciso alterar alguns detalhes. Por exemplo, Isaías precisaria de uma cabeleira consideravelmente maior — pelo menos até os ombros, na imagem que faço dele — e, sem dúvida, ela seria grisalha, ondulada e desgrenhada. Seu olhar seria um pouco desvairado, pois seus olhos "viram o Rei, o Senhor dos Exércitos", uma imagem que, segundo ele, foi seu fim e o levou a exclamar: "Estou perdido!" (Is 6.5). Não haveria como superar isso — devo acreditar que essa experiência transpareceria em seu rosto.

Tenho certeza também de que veríamos a túnica de Isaías amarrotada em boa parte do tempo. Estou certa de que a maioria das pessoas que servem a um Deus invisível por muitos anos, tentando dar o melhor de si para obedecer às instruções inaudíveis dele e amar seu povo contraditório com o próprio coração contorcido, vive na maior parte do tempo a milímetros da pura loucura. Mas pode ser que eu seja a única a pensar assim.

Em nenhum momento Wiman irrompeu numa canção ao recitar seus poemas para nós, embora eu não teria me importado se ele o houvesse feito. Isaías, por outro lado, fez isso mesmo. Precisamente uma vez. E aquela única vez é bem quando o tema da videira em seu livro começa a criar raízes. É assim que a canção começa:

> Agora, cantarei a meu amado
>> uma canção sobre seu vinhedo:
> Meu amado tinha um vinhedo
>> numa colina muito fértil.

Isaías 5.1

Mais de trinta nomes diferentes são empregados para se referir a Deus nos 66 capítulos de Isaías. Entre eles estão Senhor dos Exércitos, Pastor, Oleiro, Redentor, Criador, Rei,

Salvador, Rocha, Rocha Eterna, Juiz, Comandante e Guerreiro. Aqui, em Isaías 5? *Meu amado.* O profeta abre a boca e entoa uma canção para seu amado no que é, de maneira inconfundível, o vislumbre mais terno e revelador dos sentimentos do profeta que encontramos ao passar o pente fino em seus volumosos registros.

Sinta a mudança de tom. Cercado pelas referências mais elevadas e sublimes a Deus em todas as santas escrituras, Isaías muda de tonalidade e compõe uma canção para seu *amado.* Por isso, vá em frente, *sinta* isso. Uma canção de amor não sentida é inadequada. Alguns poemas são escritos para fazê-lo pensar. As canções de amor têm a função de fazê-lo sentir. E depois, se valerem o preço de uma corda de violão, de fazê-lo pensar.

O mesmo se aplica a nós. Caso perceba que perdeu a canção em algum lugar pelo caminho — se estiver seguindo com Jesus, mas isso se reduziu a um dever e perdeu todo o deleite —, faça uma pausa e absorva esta ideia: assim como Isaías cantou a seu amado, o Deus dos céus canta canções de amor sobre você.

Davi cantou para Deus em um de seus salmos:

> Pois és meu esconderijo;
>> tu me guardas da aflição
>> e me cercas de cânticos de vitória.
>
> Salmos 32.7

Tente absorver esta maravilha: temos uma trilha musical tocando sobre nós, proclamando nossa salvação. Aqui estamos, cá embaixo, sentindo-nos invisíveis, enquanto somos observados pelo Rei dos céus e cercados por cantores os quais nossos ouvidos ainda não estão sintonizados para ouvir.

No verso seguinte do salmo, Deus canta em réplica:

Eu o guiarei pelo melhor caminho para sua vida,
lhe darei conselhos e cuidarei de você.

Salmos 32.8

Inúmeras vezes, considerei a hipótese de que nossas canções de louvor se unem às dos anjos que cercam o trono de Deus. No entanto, o salmista, sob a inspiração de Deus, registra vários versos em que o próprio Deus canta sobre seu povo.

Consegue imaginar? Pense em todas as vezes que você cantou para Deus em louvor. Já lhe ocorreu alguma vez que, quando você toma fôlego, ele estaria cantando em resposta?

Essa noção teria sido familiar para o profeta Sofonias, que escreveu estas linhas saindo da boca de Deus:

Naquele dia, se anunciará em Jerusalém:
   Anime-se, ó Sião! Não tenha medo!
Pois o Senhor, seu Deus, está em seu meio;
   ele é um Salvador poderoso.
Ele se agradará de vocês com exultação
   e acalmará todos os seus medos com amor;
   ele se alegrará em vocês com gritos de alegria!

Sofonias 3.16-17

Gritos de alegria. Gosto dessa parte. Ninguém grita de alegria acerca de algo que inspira vergonha. Passei uma parte considerável de minha vida me perguntando se Deus se envergonhava de mim. Não vou escandalizar o leitor com todos os motivos que me levaram a pensar nisso, mas confie em mim: são motivos legítimos. Se eu recebesse o que fiz por merecer, Deus teria vergonha de mim. Talvez você sinta que é isso que fez por merecer também, mas nenhum de nós levou o que mereceu.

Hebreus nos despe a culpa como se fosse um manto que não nos servisse mais:

> Assim, tanto o que santifica como os que são santificados procedem de um só. Por isso Jesus não se envergonha de chamá-los irmãos.
> Hebreus 2.11

Apenas dois versículos mais tarde, o autor de Hebreus registra Jesus anunciando que ele está com "os filhos que Deus me deu". Por mais que eu tente, não consigo encontrar uma única gota de vergonha nessa declaração.

É verdade que Hebreus não afirma que Jesus cantou esse verso. Ele o falou. Contudo, não tenha dúvida de que Jesus cantou com seus discípulos (Mt 26.30). As canções eram parte integral das festas judaicas e das peregrinações anuais. E você sabe que Jesus cantava bem. É impensável que aquele que criou a canção não estabelecesse um padrão elevado de canto.

A bem da verdade, porém, eu não me importaria se ele não cantasse bem. Desde que cantasse bem alto e com orgulho, ele me teria na palma da mão. Há uma cena excelente no filme

O AMOR DE CRISTO POR VOCÊ NÃO CONHECE *NENHUMA VERGONHA.*

O QUE APRENDI COM AS VIDEIRAS

O casamento do meu melhor amigo, da década de 1990, em que a antagonista enciumada (interpretada por Julia Roberts) tenta criar uma armadilha para que a rival (interpretada por Cameron Diaz) fracasse. A personagem de Roberts cria uma situação que obriga a outra a cantar karaokê no jantar de ensaio do casamento, diante de uma sala lotada. A personagem de Diaz é péssima cantora. Desafinada. E canta bem alto. Contudo, o plano para humilhá-la sai pela culatra, pois a pura disposição de se levantar e demonstrar seu afeto pelo amado conquista não apenas a ele, mas a todo o público. Não importa quão desafinada ela seja; ela está apaixonada.

Às vezes, nada é mais belo que ser um tolo apaixonado. Nada faz com que nos sintamos mais vivos do que saber que somos amados, em especial saber que somos amados com desavergonhado abandono.

E é isso que você precisa saber acima de tudo — que o amor de Cristo por você não conhece nenhuma vergonha. E ele não é nenhum tolo.

+ + +

Às vezes, é possível saber desde as primeiras notas que uma canção vai lhe arrebatar o coração. As palavras são desnecessárias. Deixe um único violoncelo abrir caminho para a melodia e, depois de vários compassos, ele se torna um companheiro de lamentação, sentado a seu lado em sua tristeza. Nem importa que você não faça ideia de por que está triste. Antes da última nota, algo terá lhe ocorrido.

A música exerce um poder que as palavras, por si sós, raramente conseguem igualar. Ela se desvia de suas defesas e o atinge sem nenhum pedido educado de permissão. Se você não souber se firmar, ela o arrastará até onde você não tinha nenhuma intenção de ir.

Outras vezes, você se acomoda para ouvir uma canção com boas vibrações, e ela o trai. Esse tipo o seduz com a letra. Ela lhe diz que você é bonito e faz com que você se sinta bem. Você se aproxima e aumenta o volume. Então, lá pela metade, ela muda de tom e lhe diz: "A beleza está nas ações, não na aparência", e, se a canção diferencia o certo do errado, você talvez se sinta bem feio no fim das contas. Se calhar da canção ser interpretada por um profeta dedilhando um violão, é provável que a próxima estrofe o alerte do que acontecerá a seguir caso você não altere seus hábitos repugnantes.

É de novo a deixa para as palavras da canção de Isaías:

Agora, cantarei a meu amado
   uma canção sobre seu vinhedo:
Meu amado tinha um vinhedo
   numa colina muito fértil.

Ó Isaías, por favor, cante. Não hesite. Quem resiste a uma canção de amor, em especial uma dessa classe? A paisagem pastoral nos acolhe e seduz. Deixamos com perfeito contentamento que a canção nos leve até lá. Vamos nos aninhar junto ao orador e permitir que a estrofe seguinte nos transporte.

Ele arou a terra, tirou as pedras
   e plantou as melhores videiras.
No meio do vinhedo, construiu uma torre de vigia
   e, junto às rochas, fez um tanque de prensar.
Então esperou pela colheita de uvas doces.

Isaías 5.2

Até aqui, tudo bem. Adoramos canções que nos dizem o que o amor fez por nós, os problemas que o amor enfrentou pelo nosso bem. Como somos merecedores!

Então, a canção de Isaías muda de repente.

Em minha casa, esta é a cena: Keith e eu estamos na cozinha, planejando um banquete ao estilo da família Moore, com o uso de todas as panelas que o braço alcança. A música vem do autofalante do Bluetooth sobre o balcão junto ao fogão. Uma canção começa, doce e deliciosa. É nova para nós, mas a apreciamos de imediato e, depois de três compassos, já estamos sob seu encanto. Deixamos o molho da carne borbulhar, abandonamos o pão sem terminar de passar a manteiga, e embarcamos numa dança espontânea. Tudo são rendas e romance, métrica e rima. Então, no meio da canção, um de nós tropeça nos pés do outro, o cotovelo batendo no cabo da frigideira, jogando a panela no piso de ladrilhos, lançando o molho de carne para cima como se fosse um gêiser. Corremos para nos proteger, pois uma coisa é certa: alguém está prestes a se queimar.

Imagino que este seja um bom momento para admitir que, para meus ouvidos, a canção de Isaías a seu amado soa como puro *country* — e não porque este seria meu estilo favorito de música. Não é. É porque uma canção *country* pode começar com um piquenique, com a família comendo frango frito e melancia sobre a colcha da bisavó, com borboletas esvoaçando em redor, e, antes de terminar, seu pai foi para a prisão, sua mãe fugiu com o pregador, e seu irmão caçula está desintegrando as borboletas com uma arma de chumbinho.

Na canção de Isaías sobre o vinhedo, a primeira indicação de uma mudança para um tom menor acompanha estas quatro palavras: "mas deu uvas bravas" (Is 5.2, RC).

Bravas não é algo tão ruim, pensamos. Na verdade, gostamos da ideia de sermos bravos. Ser indomável e ter um espírito livre são qualidades glorificadas numa cultura de individualistas. Se não vamos viver à altura das expectativas, que seja porque somos bravos no fundo do coração. No entanto, nessa passagem, o significado da palavra traduzida como "bravas" carrega conotações mais amplas que ser indomável. Também significa azedas, amargas, não maduras, imprestáveis, ou mesmo podres. Contudo, a interpretação mais ofensiva de todas é "fedorentas".

Há certo romance em ser indisciplinado, mas ninguém quer cheirar mal. Os significados sensoriais tendem a ser levados para o lado pessoal. É como se sua mãe lhe perguntasse se você se lembrou de usar desodorante. A reação mais natural é passar para a defensiva. E a melhor maneira de jogar na defensiva é projetando a culpa. "Se não me tornei bom, é porque você não me tratou bem."

O texto antecipa nossa desculpa e responde antes que tenhamos a oportunidade de dizer qualquer palavra.

+ + +

Muitos estudiosos da Bíblia concordam com a forte possibilidade de que essa parábola coloca Isaías no papel de trovador, ou de amigo do noivo. Como uma maneira de visualizar Isaías como o trovador, um lugar natural para se começar seria o de "padrinho do noivo", desde que permitamos que seu papel se expanda para muito além do de tirar fotos ao lado do casal depois da cerimônia.

Na verdade, vá em frente e coloque as negociações de todo o contrato de casamento nas mãos dele.[1] Acrescente o papel de intermediário entre a noiva e o noivo, que costumavam não

O QUE APRENDI COM AS VIDEIRAS

ter nenhum contato direto anterior ao casamento. Se o noivo demonstrasse dúvidas sobre a noiva, elas eram reportadas a ela de forma oficial pelo — você adivinhou — amigo do noivo.

Imagine um típico jantar de ensaio de casamento da nossa cultura. O padrinho se levanta para fazer um brinde e dizer algumas palavras sobre o casal, mas com ênfase no noivo, seu amigo mais querido. Finja que ele é um músico que transforma suas palavras em melodias em vez de discursos. Ele deposita o cálice na mesa e pega o microfone, aquele com autofalante portátil. Dá uma batidinha no microfone para conferir se está funcionando, e começa a cantar.

A letra começa calorosa — bela e romântica, pois é bem assim que a história do casal começou. Entretanto, o que o padrinho sabe, mas não o público, é que a noiva não foi apenas infiel ao noivo. Ela agiu de forma egoísta, falsa, injustificada e até criminosa em relação a ele e a muitos outros.

O amigo do noivo (ou o padrinho, em nossa história) não vai além de "uvas bravas" quando, de súbito, o próprio noivo se levanta, toma o microfone da mão do trovador, e continua a canção.

Agora, habitantes de Jerusalém e Judá,
    julguem entre mim e meu vinhedo.
O que mais poderia ter feito por meu vinhedo
    que já não fiz?
Por que, quando esperava uvas doces,
    ele produziu uvas amargas?

Isaías 5.3-4

Quão podres e pútridas eram as frutas? O sétimo versículo espreme a uva:

CANÇÃO

A nação de Israel é o vinhedo do SENHOR dos Exércitos,
   o povo de Judá é seu jardim agradável.
Ele esperava colher justiça,
   mas encontrou opressão.
Esperava colher retidão,
   mas ouviu gritos de angústia.

Isaías 5.7

A canção segue por mais 23 versículos, mas uma pergunta tremula de forma perturbadora por toda a letra, recusando-se a ser esquecida:

O que mais eu poderia ter feito por meu vinhedo que já não fiz?

O ouvinte determinado sabe a resposta. *Nada.*

+ + +

Não há canção como aquelas sobre amor não correspondido. Todos conhecem alguma. A maioria de nós tem uma. Ela pode tocar em qualquer lugar — numa festa, num restaurante, num salão, numa loja — e, súbito, você retorna àquele momento. Sentindo-se doente por dentro. Abalado. Talvez busque a canção de propósito porque algo lhe despertou a lembrança. Você a toca de novo porque se pergunta agora, depois de todo esse tempo, se aquilo foi real.

Foi, sim. Você sabe a esta altura quanto tempo leva para afastar as lembranças depois que a música para. Não temos nada mais íntimo a oferecer a outra alma viva do que nosso amor. A afeição autêntica não existe sem a vulnerabilidade. Um coração bem aberto para o amor está bem aberto para a mágoa. Poderíamos selar nosso coração numa tentativa de evitar sermos magoados, mas, ao fazê-lo, também nos fecharíamos para relacionamentos que tornam a vida relevante.

Ninguém está a salvo da dor da rejeição, nem mesmo Deus. Não, vou ainda mais longe: *especialmente* Deus.

Ele é, afinal, o autor, possuidor eterno, iniciador e doador do amor. Não é possível destruí-lo ou reduzir-lhe a importância ao não lhe retribuir o amor, mas dissociá-lo da dor e da tristeza associada com o amor é esculpir um ídolo conveniente em madeira ou pedra sem lhe atribuir nenhuma semelhança ao Deus da Bíblia. Naquelas páginas, encontramos um Deus que não pode ser alterado pelo homem, mas que é afetado por este. Sua imutabilidade não exaure nem apaga suas afeições.

Deus é descrito com uma ampla gama de emoções em resposta a nós, seres humanos: deleite, prazer, desprazer, raiva, compaixão, riso, piedade, pesar e tristeza, para citar algumas. O ciúme e a fúria estão entre as emoções mais perturbadoras atribuídas a Deus, pois as versões sem pecado de qualquer uma das duas nos são inconcebíveis. A diferença titânica entre as afeições de Deus e as nossas é que as dele são incorruptíveis. Processamos informações sobre Deus como se suas emoções fossem criadas à nossa imagem, em vez de as nossas à imagem dele. A fonte original de todas as emoções é absolutamente imaculada.

Jesus, em quem "toda a plenitude" de Deus habitava, aprofundou mais a complexidade e as cores da paleta das emoções divinas. Jesus, que lia os pensamentos humanos (Lc 6.8; 11.17), também se admirava da fé (Lc 7.9) e da falta de fé das pessoas (Mc 6.6). Ele é descrito sendo tomado pela alegria do Espírito Santo em resposta direta aos humanos (Lc 10.21). Ele celebrou, entristeceu-se, chorou e sofreu. Enfrentou um conflito turbulento nas profundezas da alma acerca

CANÇÃO

da humanidade e sentiu a ferroada abrasadora da traição e da rejeição. Também conheceu a agonia do terror (Mt 26.39).

Um dos aspectos mais misteriosos a respeito de Deus comunicado nas Escrituras é que o conhecimento dele sobre o que aconteceria não impedia necessariamente suas esperanças elevadas de algo diferente. Nem sempre ele se poupava do choque de algo pavoroso, mesmo que o tivesse previsto. Até uma conclusão predestinada não poupava Deus da emoção do resultado. Talvez, de modo mais significativo, *saber* o motivo não impedia Deus de se *perguntar* o motivo (Is 5.4; Mc 15.34).

Na canção de Isaías, Deus observa e espera com expectativa ansiosa que a videira escolhida — desejada, planejada, preparada e plantada à mão — gerasse frutos. E ela o fez. No entanto, eram frutos podres.

5
Inspeção

Anos atrás, quando o número de participantes dos eventos do projeto Living Proof Live começou a crescer — e, como consequência, a me matar de medo —, decidi que Deus se sentiria muito honrado, e eu demonstraria minha confiança nele, se jejuasse desde o início até o fim de cada conferência. Se a eficácia aumentava em resposta à combinação de jejum e preces, como as Escrituras indicavam, por que a mesma fórmula não se aplicaria a jejum e discursos?

Fazia todo o sentido para mim, por isso mantive o hábito por anos — nada de comida durante o fim de semana do evento, da sexta-feira após o almoço até a tarde de sábado. Era fácil manter o jejum por cerca de 24 horas. Afinal, alguns santos jejuam por dias sem fim. É verdade que eles não são muito divertidos numa reunião durante o almoço, mas meu respeito por eles é incomensurável. Na minha opinião, era mais provável que Deus demonstrasse favor aos eventos caso eu jejuasse.

Não importava que não se conquista o favor divino. Não importava que não exista nenhuma fórmula no mundo que garanta a efusão do Espírito de Deus. Às vezes, giramos a roleta e damos as cartas, e chamamos isso de santo. Quanto mais eu vivo menos vejo Deus como alguém que troca apertos de mão. Alguém que nos segura a mão? Sim. Apertos de mão? Não.

Deus era fiel. Não tem como ele ser de outro jeito. Ele me carregou por cada um desses eventos, em especial nas últimas horas, quando me sentia trêmula, e, mais tarde, quando o encontro com os convidados se estendia até que eu estivesse à beira das lágrimas. Eu já tinha dado tudo de mim. Não brinco quando ensino. Lanço meu corpo inteiro no processo.

Então, comecei a ver estrelas. Às vezes, durante a última sessão, eu precisava me firmar no pódio por um momento até que a tontura passasse. Eu me via tão esgotada ao fim de um evento que as sequelas não eram apenas físicas. De imediato eu enfrentava ataques espirituais, como se uma horda de macacos-aranhas demoníacos pulassem nas minhas costas.

"Espere um instante", pensei. "Não era para o jejum me tornar mais eficaz no combate?" Não é a isso que Jesus aludiu quando seus discípulos não conseguiram salvar o menino possuído pelo demônio: "Essa espécie não sai senão com oração e jejum" (Mt 17.21)?

Eu estava determinada a vencer, por isso decidi que só precisava orar mais. Eu havia assumido um compromisso, e não o quebraria. E se Deus retirasse de mim seu Espírito?

Se isso lhe soa como loucura, bem-vindo à vida de alguém numa posição tão precária, que se sentia sem espaço para cometer erros. Eu prosseguiria mesmo que aquilo me matasse.

Então, num evento, bem no auge energético da sessão final, pensei que morreria mesmo. O lugar todo mergulhou na penumbra. Graças a Deus, minha visão escureceu apenas por um segundo, e o público não percebeu, mas isto eu lhe afirmo: comecei a comer. Tenho comido desde então, e, até onde sei, Deus ainda comparece aos eventos. Ele não havia me ordenado a jejuar enquanto servia com tudo que sou. Ofereci meu jejum por devoção. Era uma ideia devota que não produziu bons frutos.

Essa acabou por se revelar uma das lições mais importantes que já aprendi. Se Deus puder me utilizar para lhe transmitir essa mensagem antes que você se apague em seu próprio e destrutivo caminho, teremos realizado algo recompensador. Algo santo.

+ + +

Só há algo pior que não produzir nenhum fruto: produzir frutos ruins. Que não haja engano: o povo de Deus, os ramos escolhidos da videira perfeita, são capazes de gerar frutos verdes, azedos, amargos, podres e fedorentos. Aconteceu comigo. Eu também os vi, cheirei e comi. Somos capazes de ser virtuosos e honrados no aspecto religioso, e produzir frutos podres.

Foi bem disso que Jesus acusou os fariseus. Alguns entre eles defendiam com zelo a letra da lei, mas com tanto orgulho moralista e falta de generosidade que o fruto que geravam era azedo o bastante para travar a mandíbula mais solta.

O que é confuso para um mundo cheio de inspetores amadores de frutas é a similaridade entre uma uva amarga e uma doce. O mundo fica com um gosto ruim na boca e perde por completo o apetite por uvas, jogando todos os frutos da videira no mesmo cesto. Depois de algum tempo, toda a carroça de uvas passa a cheirar de forma horrível sob uma nuvem alegre de moscas.

A verdade é que não se consegue falsificar um fruto bom. Às vezes, nosso objetivo em gerar frutos imensos é ter um mostruário pronto para ser fotografado — visto, notado, admirado. Esse tipo de rotulação é tão prevalente que não temos mais certeza de entender a diferença. Contudo, há nisso uma incongruência grotesca com o evangelho.

INSPEÇÃO

Se quisermos resistir à tentação de promover mais boas ações do que somos de fato capazes de realizar, precisaremos demonstrar ponderação. O fruto é para ser comido, para não apodrecer. O único fruto que dura por tempo indeterminado sem ser comido é o de plástico.

Já que o Pai encoraja os seguidores de Jesus a levarem vidas imensamente frutíferas, é razoável supor que nenhuma pergunta seja mais relevante que esta: que tipo de fruto estamos produzindo? Não enxergamos os frutos do jeito que Deus os vê, mas, com a ajuda dele, temos toda a capacidade de distinguir entre um fruto bom e um ruim.

A inspeção se torna um ato de obediência, e ninguém tem mais em jogo nessa análise que um líder. Quer você se imagine um líder quer não, isto eu posso lhe assegurar com alto nível de confiança: se estiver buscando de forma ativa conhecer, amar e adorar Jesus, além de prosseguir "para o final da corrida, a fim de receber o prêmio celestial para o qual Deus nos chama em Cristo Jesus" (Fp 3.14), você é um líder ativo ou um líder em ascensão. Você é de uma espécie tão contracultural que não passará despercebido em sua esfera de influência, seja por alguns seja por muitos.

Desde que comecei a buscar as videiras na Toscana, tenho analisado cada vez mais a qualidade de alguns dos frutos que resultaram de minha vida e liderança. Você se disporia ao risco de tornar esta pergunta parte de seu vocabulário também?

O que estou fazendo (esta ação, abordagem, exemplo, ou instrução) está gerando bons frutos?

Vejamos a pergunta em alguns contextos diferentes para tornar a indagação mais aplicável. Tenha em mente que não

O QUE APRENDI COM AS VIDEIRAS

estamos apenas à caça de frutos ruins. Também estamos procurando frutos bons. Se pensarmos que temos um Deus que só condena e nunca encoraja, que apenas nos aponta o que há de errado conosco e nunca o que há de certo, é provável que criemos um deus feito à imagem de uma autoridade humana que nos deixou com cicatrizes. Estamos a salvo, amados por Deus, não importa que tipo de fruto estejamos produzindo no momento.

- Que tipo de fruto *bom* tenho produzido em meu casamento e em minha família? Em minha igreja local? Em minha comunidade?
- Que tipo de fruto *ruim* tenho produzido em meu casamento e em minha família? Em minha igreja local? Em minha comunidade?
- Que frutos *ruins* tenho produzido em meu emprego ou vocação? Que frutos *bons* tenho produzido?
- Que frutos — bons e ruins — tenho produzido por meio de meus *hobbies* e atividades de lazer?
- Minha vida social tem gerado frutos bons ou ruins?

Qual é a melhor maneira de julgar que tipo de fruto está sendo gerado em nossa vida? Procure por sinais do fruto do Espírito — elementos como "amor, alegria, paz, paciência, amabilidade, bondade, fidelidade, mansidão e domínio próprio" (Gl 5.22-23). Se a ação ou abordagem extingue qualidades do Espírito, está produzindo frutos ruins. Se ela revela qualidades do Espírito, está produzindo frutos bons.

Algumas perguntas como estas talvez nos ajudem em nossa autoavaliação:

- Meu coração se aquece ou se esfria em relação às pessoas?

INSPEÇÃO

- Estou o tempo todo de mau humor?
- Estou cada vez mais cansado?
- Concentro-me nas ofensas, ou mostro disposição de ignorar a maioria delas?
- Tornei-me mais ríspido ou mais gentil no último ano?
- Perco o controle com facilidade?

Muitas vezes, determinar o tipo de fruto que estamos produzindo exige sutileza. Por exemplo, tomar uma decisão em particular tem causado desafios ou caos? Os obstáculos e dificuldades são a norma em nossa vida. A oposição também. O caos contínuo, porém, é uma questão diferente. Quando a paz parece ter deixado o recinto, o cheiro de frutos podres costuma pairar no ar.

Nenhum de nós consegue realizar tudo. Nenhum de nós consegue agradar a todos. Nenhum de nós tem acesso a mais do que 24 horas por dia ou a mais do que sete dias por semana. Por desígnio de Deus, estes corpos mortais estão repletos de limitações e sujeitos a certas leis naturais. Se não comermos, passaremos fome. Se não dormirmos, morreremos. Se não pararmos nunca, desabaremos. Se abandonarmos o que estamos fazendo para responder a cada mensagem no celular, nunca terminaremos nenhuma tarefa significativa. Nenhum de nós é exceção. Nenhum de nós consegue realizar mil trabalhos para a glória de Deus, mas somos capazes de muitos deles. Quando você estiver em seu leito de morte, quais desejará ter escolhido?

Minhas respostas talvez soem típicas ou até banais, mas vou arriscar expô-las mesmo assim. Quero amar Jesus com todo o coração, mente, alma e força. Quero que ele seja capaz de exclamar: "Rapaz, essa mulher não desiste". Quero que meus netos contem com uma avó viva e real que sabe quando eles têm prova na escola ou quando estão resfriados. Quero ser o contato de emergência deles depois dos pais, pois estarei sempre ao alcance. Quero que meu marido afirme: "Eu a escolheria de novo, sabendo de tudo". Quero dez mil conversas com minhas filhas na varanda dos fundos. Quero que elas comentem, em pé diante de meu caixão: "Mamãe era tão engraçada". Quero Jesus, e quero minha família. É meu maior desejo ao chegar ao fim.

Tenha coragem suficiente para escolher aquilo que importa agora.

O fato de Cristo convocar cada discípulo para fazer de alguma forma mais discípulos (Mt 28.18-20) leva esta pergunta para o topo da lista da análise dos frutos para todos nós (pelo menos, para aqueles que não são novatos em relação à fé):

*As pessoas que estou ajudando a treinar como discípulos
estão mesmo se tornando discípulos?*

A fim de maximizar os benefícios dessa análise, resista à tentação de escapar do aperto com respostas rápidas e generalizações. Seja específico. Visualize rostos. Apanhe uma folha de papel ou utilize a margem e liste os nomes.

Será que bons frutos estão sendo gerados na vida cristã de um número significativo daqueles a quem você ensina, orienta, lidera, aconselha, assessora, prega, tutela espiritualmente ou serve de irmão ou irmã mais velha? Você talvez não se imagine um líder, mas permita-me assegurar-lhe isto: você possui uma esfera de influência, seja esta sua família, sua vizinhança, sua igreja ou seu grupo de amigos.

A fim de responder a essa pergunta com precisão, pontos específicos são úteis:

- Os que estão sob sua influência deliberada estão crescendo de modo discernível no amor a Deus e ao próximo?
- Estão amadurecendo em seu testemunho, até onde você sabe?
- Começaram a servir a Deus e a outros em vez de se contentarem em observar enquanto você serve a Deus e a eles?
- São discípulos num nível pessoal em vez de num nível basicamente social?
- Até onde você é capaz de observar, a vida deles gera frutos de perdão e demonstra amor?
- Os relacionamentos deles estão melhorando?

Em primeiro lugar, observe aqueles que eram infantes na fé quando foram colocados sob sua influência. Houve crescimento? Estão engatinhando? Alguns estão andando? Até correndo? A seguir, observe os que integraram sua esfera de influência quando já eram discípulos há algum tempo. O fervor deles se manteve? Cresceu?

TENHA CORAGEM SUFICIENTE
PARA ESCOLHER AQUILO
QUE *É RELEVANTE AGORA*.

Como tenho ponderado essas questões sob a perspectiva de uma professora, extraí uma pergunta direto de Jeremias:

> "O profeta que tem um sonho, conte o sonho, e o que tem a minha palavra, fale a minha palavra com fidelidade. Pois o que tem a palha a ver com o trigo?", pergunta o SENHOR.
>
> Jeremias 23.28, NVI

Pergunto-me com frequência (às vezes, de maneira brutal) se tenho servido, na maioria, palha ou trigo — em outras palavras, se meus ensinamentos carregam substância real, ou se estão recheados com enchimento que não resistirá à passagem do tempo. Para manter a pergunta no radar, escrevi a frase "Palha ou trigo?" de forma aleatória em páginas em branco por todo o meu diário.

A ressalva necessária em toda essa conversa sobre análise de frutos é que nossos discípulos carregam a responsabilidade por sua própria produtividade. Caso não sejam receptivos ou responsivos, a falta de frutos deles é autoimposta. O foco do presente discurso, porém, não está na falta de frutos. Está nos frutos ruins.

+ + +

Muitos anos atrás, cheguei à conclusão desagradável de que meu legalismo não estava gerando bons frutos em meu casamento. Cheguei a um ponto em que vivia, em parte, aquilo a que Salomão se referiu com suas palavras peculiares em Eclesiastes:

> Portanto, não seja justo nem sábio demais! Por que destruir a si mesmo? Tampouco seja perverso demais. Não seja tolo; por que morrer antes da hora?
>
> Eclesiastes 7.16-17

INSPEÇÃO

Como é possível para alguém ser "justo demais"? "Sábio demais"? Com certeza, justeza e sabedoria não são o problema, já que são tão valorizadas entre as prioridades elevadas das Escrituras para o povo de Deus. É o advérbio que cria a bagunça, como é bem costume dos advérbios. *Demais*.

Lançarei um exemplo à mesa. Tanto Keith quanto eu viemos de contextos tão sombrios e depravados que tentei com vigor corrigir tudo em nós que não equivalesse a filmes de classificação livre ou permitidos para maiores de dez anos. Meu marido nunca aceitou bem as correções. Por exemplo, minha tentativa de lhe arrancar pela raiz a linguagem obscena só serviu para que esta crescesse como uma verdadeira sequoia.

Keith não sabe muitas Escrituras de cor, mas me parafraseou Romanos 7.23 tantas vezes que perdi a conta: "Você sabe que a lei não faz nada além de causar uma guerra em meus membros". O versículo, na verdade, diz: "Vejo uma outra lei agindo nos meus membros, guerreando contra a lei da minha mente, e tornando-me cativo da lei do pecado que está em meus membros" (versão King James).

Quando Keith parte para um duelo de Bíblia, sempre se mune com a versão King James contra mim. Eu o acusei de preferi-la porque ele adora citar versículos com palavras de gosto duvidoso, e essa versão oferece um punhado delas. A versão King James faz uso bom e profuso da palavra *dung* [estrume], por exemplo, enquanto algumas das versões mais modernas a ignoram por completo. Por que nenhum dos zelosos defensores do uso exclusivo da versão King James jamais mencionaram essa disparidade, eu nunca saberei. Keith em especial aprecia a alternativa em King James para *donkey* [jumento].* Essa é minha vida. E, se você tiver bom senso, faça uma pausa e agradeça a Deus por ser a minha, e não a sua.

Seria justo dizer que minhas intenções eram mais puras que as de Keith? Talvez, mas, por ironia, se eu houvesse conquistado o lar legalistamente correto que eu queria, meus esforços não teriam produzidos bons frutos. Para início de conversa, eu não teria conseguido manter o esforço. Sentia-me frágil demais, e o que eu compreendia sobre a graça e o trabalho do Espírito Santo não era o bastante para me impedir de sair dos trilhos.

É inevitável que os votos mais sinceros do coração desfigurado apelem à autossabotagem. Além disso, forçar Deus goela abaixo dos membros da família não lhes deixa um gosto doce na boca. O fato de Keith e eu, em vez disso, combatermos os extremos um do outro, forçando algum equilíbrio em nosso lar, acabou por, de fato, produzir bons frutos. Ainda discutimos quando um sente que o outro foi longe demais, mas, em geral, nos mantemos em algum ponto a meio caminho, onde os santos ainda sabem que são pecadores, mas não esquecem que são santos.

A posição estratégica para avaliar os frutos é uma das dádivas inestimáveis do tempo. Trata-se de uma equação simples. Preencha a primeira lacuna com quase qualquer prática, ação ou abordagem. Preencha a segunda lacuna com o adjetivo mais adequado.

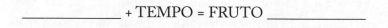

_____ + TEMPO = FRUTO _____

Legalismo + TEMPO = FRUTO *rabugento*

* A versão King James em inglês utiliza o termo *ass*, que, além de "jumento", significa "nádegas" (N. da T.).

Observo com atenção redobrada aqueles na fé que já contam setenta, oitenta, noventa anos de idade, pois quero envelhecer bem e com alegria, mantendo ardentes a fé e o meu amor por Jesus, pelas Escrituras e pelos outros seres humanos. O fato de que o legalismo envelhece com irritação, ou até com angústia, tem se revelado, para mim, uma conclusão inescapável. Se me for permitida a ousadia, não é incomum que ele deixe uma carranca permanente no rosto do velho santo.

O denominador comum mais proeminente que já observei nos seguidores de Jesus que parecem envelhecer com alegria é a plenitude do Espírito Santo. Em termos simples, a saúde da alma dessas pessoas e a atenção aos elementos do Espírito brilham mais que o declínio do corpo. Essa plenitude também parece deixar uma marca permanente. O rosto traz linhas de bondade, e os olhos faíscam e se enchem de lágrimas com facilidade ante a menção do nome de Jesus.

Desigualdade racial + TEMPO = FRUTOS *mortais*

"Separados, mas iguais" é, na maior parte, uma falácia, ou mesmo um oximoro absoluto. "Distinto e igual" é outra história, mas a boca que professa sem cessar as vantagens do separatismo não consegue deixar de exalar o ar nocivo de supremacia. A supremacia entre os mortais é sempre oposta a Deus, mas, entre as pessoas que carregam o nome de Cristo, é blasfêmia.

Só Jesus é supremo. Em sua economia, a marca de grandeza é trajada apenas pelo servo de todos. Sob o reino de Jesus, os que exaltam a si mesmos serão, ao fim de tudo, humilhados, e os que se humilham serão exaltados.

Os Estados Unidos têm um assento na primeira fila para observar o fruto mortal da injustiça étnica — na igreja não menos do que no mundo. Muitos argumentariam que, em sua história, a igreja ofereceu ao racismo suas plataformas mais audaciosas. Ninguém vê a santa virtude na doutrina do "separados, mas iguais" como aqueles cuja visão é limitada pelos antolhos do zelo religioso.

Exclusividade prevalente de gênero + TEMPO = FRUTOS *verdes e podres*

A doutrina de "separados, mas iguais" produz frutos venenosos similares na maioria das questões de gênero, e alivia a consciência com "distintos, mas iguais". Podemos cortar dois cachos de uvas de uma única videira e pendurá-los lado a lado, mas se, durante o processo de crescimento, um pender com tanto peso e superioridade sobre o outro que acabe por eclipsar o sol, os frutos do subordinado não conseguirão se comparar aos do primeiro cacho.

Poderíamos culpar a produção pobre do cacho em sua inferioridade inerente, mas eles vieram da mesma videira no mesmo campo. A causa mais provável é que o primeiro cacho se agigantou tanto que bloqueou a capacidade do segundo de prosperar.

É compreensível por que é difícil casar certas declarações provenientes da doutrina "separados, mas iguais":

"Nós as respeitamos; só não as queremos."

"Sabemos que vocês possuem uma voz; só não queremos ouvi-la."

"Nós as vemos aí desse lado. Permaneçam desse lado."

INSPEÇÃO

Deus criou o homem e a mulher com um equilíbrio delicado de igualdade e distinção, uma combinação impressionante de partes comuns e contrapartes.

Cada um à sua imagem.
Cada um de igual valor.
Cada um necessário para o futuro.
Cada um necessário para a *sobrevivência*.

Naquilo em que somos diferentes, cada um deve ajudar o outro a progredir. Os papéis podem diferir sem sacrificar o respeito mútuo, mas isso não ocorrerá por acidente. É preciso buscar relacionamentos saudáveis entre irmãos e irmãs em Cristo, lutar por eles, fazer sacrifícios. Homens e mulheres que nunca trabalham juntos como discípulos, ou que em raras ocasiões servem em proximidade uns dos outros, não apenas deixarão de desenvolver o respeito mútuo, mas também se sentirão debilitados em relação uns aos outros quanto às emoções, relacionamentos e conversações.

O separatismo produz frutos ruins. Isso é algo que observei, enfrentei, agravei, algo de que fui cúmplice, testemunha, leitora, ouvinte, e cujos sinais notei por tempo demais para continuar a descartar.

Adorar no mesmo ambiente e ouvir o mesmo sermão várias vezes por mês é um método triste e inadequado de promover relacionamentos saudáveis entre os sexos. A exclusividade prevalente de gêneros no desenvolvimento orgânico da igreja não gera — na realidade, é incapaz de gerar — frutos maduros, pois metade do que é necessário para a maturidade está ausente. É o equivalente a cortar o corpo de Cristo pela cintura e dividi-lo quilo por quilo. Poderíamos alegar que cada metade obteve sua cota, mas o corpo permaneceria em pedaços.

+ + +

A boa notícia é que não são necessários anos sem fim para realizar o cálculo matemático de nossa equação da geração dos frutos. Nem deveria, para que não se prove tarde demais em qualquer campo para produzir uma colheita diferente. Tudo que precisamos é de tempo suficiente. Em geral, um ciclo anual de quatro estações era o bastante para um lavrador.

Um pai disposto a confrontar a verdade de ter pressionado demais o filho observa sinais do fruto machucado muito antes de o filho decolar. Há tempo de admitir o problema e discuti-lo com humildade e franqueza com a criança, e desenvolver uma dinâmica diferente, mesmo que isso às vezes exija auxílio externo. O respeito será conquistado, não perdido. Se o filho já é crescido, não é tarde demais para voltar e confessar: "Fui duro demais com você, e lamento muito".

As amizades se alteram, assim como os ambientes de trabalho e as organizações de serviço, se estivermos dispostos a encarar qualquer fruto ruim resultante de nossas abordagens. Não transfira a culpa. E não espere para lidar com o fruto ruim. Ele não vai melhorar por conta própria.

A dúvida é se temos a capacidade ou disposição de enxergar com clareza suficiente para realizar essa avaliação. Carecemos do olhar de Deus para estimar frutos. Nossas lentes são distorcidas por preconceitos, e nossa visão é turvada por pontos cegos. No entanto, aqueles que vivem em Cristo não estão abandonados às limitações estritas de nossa humanidade. Temos o Espírito do Senhor residindo em nós. Render-se a sua autoridade e afeto gera uma diferença enorme em nosso julgamento (1Co 2.12-16). Quando observamos com olhos espirituais, vemos o fruto pelo que é — distinguimos entre autoconfiança e orgulho, entre humildade e autodepreciação, entre confronto saudável e contenda.

Estou desesperada por olhos que não apenas vejam, mas que também compreendam (Mt 13.14). Essa é uma de minhas súplicas mais frequentes e sinceras em orações. Deus é necessário em ambas as extremidades da gama de visão. Só ele é capaz de revelar o que só pode ser compreendido, e só ele pode nos ajudar a compreender o que só ele revela.

Nossa visão espiritual, mesmo em retrospecto, nunca será perfeita deste lado do céu, pois "agora vemos de modo imperfeito, como um reflexo no espelho" (1Co 13.12). Mesmo sob essa luz imperfeita, porém, se estivermos dispostos a abandonar nossa cegueira deliberada, Deus fará com que enxerguemos com um pouco mais de clareza, como uma neblina matinal se dispersando sobre um vinhedo na colina.

Às vezes, não nos alegraremos com que o que virmos. Um fruto mofado, machucado ou carcomido por insetos não é uma visão bem-vinda. Contudo, saber sempre será melhor para nós. A ilusão nunca salva. A negação não adoça as uvas ácidas. O trabalho árduo, em contrapartida, agora poderá produzir uma colheita diferente no ano que vem.

Tenho enfrentado uma estação intensa de dissipação da neblina. Tenho certeza de que você já passou por algo semelhante, e talvez o aspecto mais característico dessa estação seja que, em retrospecto, não conseguimos imaginar como tudo não nos fosse óbvio antes. Muitas vezes, os sinais estavam bem diante de nós, mas aquilo em que queremos acreditar — em que precisamos acreditar — tem um modo estranho de encobrir a verdade numa nuvem densa e confortável.

Queremos acreditar no melhor sobre as pessoas em nossos grupos de identidade, e, felizmente, o melhor muitas vezes é verdade. Entretanto, um motivo por que queremos acreditar no melhor sobre elas é que também queremos crer no melhor sobre nós mesmos, e nenhuma visão é tão perturbadora como a névoa se dissipando num espelho. Na maioria das vezes, esses esclarecimentos coincidem — a respeito dos outros e de nós mesmos. Lembro-me de poucas vezes em minha vida em que a claridade acerca de outra pessoa me veio sem que o brilho da verdade não se refletisse sobre mim. Deus é capaz de conceder a visão aos cegos de mais do que uma maneira.

Quando saímos da neblina e percebemos que o nosso fruto, ou o fruto do nosso grupo, apodreceu, podemos enfrentar a situação e encontrar um modo de reagir, ou podemos reforçar a camuflagem. Nessa estação em que a neblina se dissipa, certas coisas têm se tornado cada vez mais claras para mim, em especial nas fileiras mais próximas do vinhedo da fé em que estou plantada. Entenda, tenho minha própria deficiência visual, portanto o que ofereço a seguir são descobertas, e não fatos sólidos e imparciais.

- A desunião honesta é melhor que a união em algo desonesto. Na desunião honesta, ao menos é possível encarar os pontos de fratura, admitir nossas diferenças e unir-nos em torno de nossa necessidade urgente de Deus. A união a qualquer custo, porém, não apenas gera frutos pobres, mas também frutos criminosos e até assassinos, justificando o injustificável.
- Nada é imperdoável, graças a Deus. Entretanto, certas coisas não são justificáveis. Devem levar ao arrependimento e ser corrigidas de forma dramática e alteradas de

modo permanente. Ser leal a pessoas à custa da lealdade a Cristo, a seu evangelho e à simples verdade produz sempre uma colheita de iniquidade.

- O extremismo gera frutos ruins quase sempre, até quando imaginamos que nossos extremos são bíblicos ao extremo. Mais comum é descobrirmos, ante uma nova avaliação mais humilde, que, segundo as Escrituras, nossos extremos excederam os comandos de Cristo.

O que há de belo na neblina se dissipando sobre as fileiras de uvas podres é que enxergamos com nossos próprios olhos que algo deu errado. E, a gente sabe, é isso que é necessário. Enquanto permanecermos em meio à neblina, não mudaremos. Não teremos como contar com nosso olfato. É possível inalar um cheiro desagradável por tanto tempo que nossos sentidos acabam por se adaptar. Não fazemos ideia do quanto algo fede. Contudo, quando a neblina se dissipa e vemos os frutos amargos e deformados, nossos olhos se arregalam e, de súbito, nossas vias nasais despertam e ardem.

Coitados de nós! O que faremos?

Cantar, é isso que faremos. Junte-se à canção do lamento. Renda-se ao remorso. Entristeça-se com o violoncelo. Chore e lastime, se não gostar do que vê. Deixe o tom menor do réquiem rodear seu coração e guiá-lo ao arrependimento. Soluce, se quiser, mas cante com toda a força. Cante com seu Amado a canção do vinhedo. Cante o quarto versículo em voz bem alta. Abra a boca, e torne sua a indagação do Amado.

Por que produziu uvas amargas?

Por quê, Senhor? Por que resultou dessa maneira?

Ele sabe. Ele conta àqueles que escutam.

Para nosso grande alívio, até os frutos podres encontram um lugar no vinhedo. Na economia eficiente do cultivo, nada é desperdiçado.

O lavrador faz algo curioso com os frutos podres. Ele os devolve ao solo, e lá, sob a terra, por algum milagre orgânico espetacular da natureza, os frutos podres fertilizam uma futura colheita.

6
Colinas

Fui criada nas colinas do estado do Arkansas, e as colinas são ainda onde minha alma deseja se aninhar, apesar de hoje residir na costa do Golfo do Texas, a "altíssimos" 24 metros acima do nível do mar. Quando era pequena, meus pés descalços caminhavam, saltitavam e corriam por toda a mata de pinheiros da faculdade de Ouachita Hills, até se cobrirem de calos.

O relevo de nossa pitoresca cidade universitária de Arkadelphia, no Arkansas, teria sido perfeito para o cultivo de uvas, mas lhe garanto que não havia videiras em nossas encostas. Mesmo que seu uso fosse estritamente limitado a uvas frescas e suco de fruta, a mera aparência de algo maléfico teria lançado nossa faculdade batista ao fim dos tempos. Sem dúvida, as estantes de nossos supermercados locais teriam sido esvaziadas até a última lata, e os congregados da Primeira, Segunda, Terceira, Quarta, Quinta, Sexta, Sétima, Oitava e Nona Igrejas Batistas teriam sido condenados a um destino pior que a morte: a união.

O consumo de bebidas alcoólicas era proibido no Condado de Clark naquela época, e se você fosse ousado o bastante para beber algo mais forte que refrigerante, era preciso que sua alma condenada ao inferno fosse de carro até a cidade de Hot Springs para comprar bebidas. Quando criança, com base em tudo que havia entreouvido, eu estava certa de que o

O QUE APRENDI COM AS VIDEIRAS

que introduzia o calor em Hot Springs [Fontes termais] eram as chamas escaldantes do próprio inferno. Beber era o pior dos pecados, e bêbados, os piores dentre os pecadores.

Sob a liderança em estilo militar de meu pai, o major Albert B. Green — que se debatia, como a maioria de nós, com uma duplicidade considerável —, meus irmãos e eu conseguíamos fazer de tudo (tudo mesmo) e nos safar, a não ser beber. Isso explica o alcoolismo desenfreado que se seguiu.

Por favor, não se impaciente comigo. Não estou aqui para debater os benefícios ou detrimentos da abstemia. Nestas páginas, estamos em busca de lições espirituais sobre o lavrador, o vinhedo, a videira, o ramo, a uva, a passa e o vinho, que são numerosas na Bíblia, mas que tendem a ser tratadas com timidez incomum em tradições como a minha.

Ao analisarmos uma das metáforas mais familiares em toda a extensão dos santos pergaminhos, nosso objetivo é multiplicar nossas perspectivas sobre a confecção divina de vidas imensamente frutíferas, sem sermos desviados por conversas paralelas sobre a disputa entre o vinho e o suco de uva.

Talvez você sinta que essas ressalvas sejam desnecessárias. Esse talvez seja o caso para a maioria de nós, mas tenho um carinho especial por pessoas como eu, que, aos 25 anos de idade, teriam desejado ler um livro deste tipo, mas o teriam lido, caso o lessem, sob um lençol à luz de uma lanterna.

+ + +

Por mais desconcertantes que sejam as lembranças remanescentes de minha juventude entre as quatro paredes abstêmias da família Green, aquelas colinas no Arkansas compensam todas as partes difíceis. Aquelas colinas sempre me encantarão. Em meus sonhos, rolo pela encosta ao lado de casa, mais uma vez criança, magra como um lápis, as mãos grudadas com bravura junto ao corpo, folhas de árvore-do-âmbar e agulhas de pinheiro espetadas em meu suéter. Enquanto isso, coros de árvores entoam canções de boas-vindas ao outono, e sua primeira brisa gelada sussurra: "Coração itinerante, venha para casa".

Preciso acreditar que Deus sente uma afinidade especial pelas colinas. É verdade que algumas das melhores cenas nas Escrituras são capturadas no topo de montanhas, mas, mesmo assim, o posicionamento da Terra Prometida poderia levar alguém a pensar que ele guarda um lugar especial no coração para um relevo ondulante.

Deus levou sua videira, Israel, para fora do Egito. Escoltou-a pelo longo trajeto através do deserto, alimentou-a, irrigou-a com maravilhas, dividiu um rio em dois para impedir que ela se afogasse, e secou o leito do rio para impedir que ela se arrastasse na lama. Em seguida, ele a plantou no lote que lhe havia preparado. Contudo, onde exatamente se situava esse local que ele selecionou?

Talvez saibamos a resposta geográfica, mas estou me referindo a algo mais semelhante a uma resposta topográfica.

Isaías tem cantado a resposta para nós esse tempo todo, mas agora que o tema de sua letra foi estabelecido, é hora de começar a prestar bastante atenção a algumas palavras específicas.

> Agora, cantarei a meu amado
> uma canção sobre seu vinhedo:
> Meu amado tinha um vinhedo
> numa colina muito fértil.
> Ele arou a terra, tirou as pedras
> e plantou as melhores videiras.
>
> Isaías 5.1-2

Cada elemento envolvido na preparação do vinhedo pelo Amado é testemunho das práticas dos cultivadores de videiras em toda a história, tanto no novo mundo como no velho. Exploraremos cada um desses elementos nos capítulos a seguir.

Ele escolheu uma área fértil.
Selecionou um local na colina.
Arou.
Limpou.
Removeu as pedras.
Plantou as videiras.

Se alguém pedisse que fechássemos os olhos e visualizássemos uma paisagem rural coberta por vinhedos, a maioria de nós imaginaria um cenário de colinas ondulantes e montes como aqueles mostrados em incontáveis fotografias e cenas de filme. Os vinhedos mais famosos do mundo se situam nas áreas e colinas mais elevadas — mas não em nome da grande arte. São plantados lá por causa de algo bem menos poético: escoamento.

Jeff Cox, autor e entusiasta da jardinagem, expressa isso nos seguintes termos: "As uvas não apreciam ter os pés molhados".[1] Entendo isso, de certa forma. (Eu particularmente não gosto de meias molhadas, embora tenha dificuldade em formular uma analogia aqui.) Isso não quer dizer que as videiras não prosperem em terras mais planas, ainda mais nos dias de hoje, graças à engenharia química e mecânica. O relevo plano, contudo, representa alguns riscos. Águas paradas acarretam a um sistema de raízes o mesmo que ser submergido acarreta a um ser humano — priva a planta de oxigênio. As raízes precisam beber para sobreviver, mas também precisam ser capazes de respirar.

Alguns dos vinhedos mais espetaculares e incrivelmente produtivos da Europa são plantados em montes íngremes. Os vinhedos ao longo de certas partes do rio Mosela na Alemanha se empoleiram como arquibancadas de um estádio, torcendo com afeto inabalável pela irmãzinha cristalina do Reno. As videiras não são enlaçadas a treliças convencionais. São moldadas com muita engenhosidade no formato de corações, uma festa para os olhos, mas também um favor amoroso aos trabalhadores diligentes, fornecendo acesso simples para o cuidado manual das vinhas.

Já que Isaías levantou a questão da localização ao dar voz à escolha do lugar pelo Amado, acrescentaremos outro termo do vocabulário da viticultura a nosso estudo das videiras e ramos. O *aspecto* de um vinhedo é uma combinação de dois fatores: a direção à qual ele se volta e o grau em que se inclina. Um aspecto que se volta para o sol é uma vantagem notável para um vinhedo em clima frio. Entretanto, o lado de uma montanha apresenta outro problema que o sol não soluciona. Quanto mais drástica for a inclinação, maior é o risco de erosão excessiva do solo. Um pouco pode ser bom, mas uma perda considerável equivale a uma morte lenta. Divida a diferença entre vales e montanhas, e *voilà!*, você tem uma colina.

Como é o caso da maioria dos imóveis, na hora de estabelecer vinhedos, a localização é tudo. É claro que Deus sabia disso o tempo todo e revela ao leitor o segredo lá mesmo nas Escrituras. Davi escreve: "A terra e tudo que nela há são do Senhor" (Sl 24.1). Em outras palavras, Deus escolheu a propriedade que quis ao selecionar um vinhedo. Não é do feitio dele perder tempo com hesitações, e ele nunca assinalou a alternativa "indeciso" num único questionário em sua existência eterna. Ele é deliberado em suas escolhas, e o mundo lhe pertence. Não é por mero acidente que ele escolheu plantar seu vinhedo numa colina.

Quando Moisés entrou em cena, os descendentes de Abraão haviam vivido no Egito por tantas gerações que não tinham como saber que suas súplicas por liberdade da opressão que sofriam eram, na realidade, uma resposta a um chamado divino: *Coração itinerante, venha para casa.*

Deus é quem inicia tudo segundo sua vontade, e somos nós que respondemos. Deus ouviu as súplicas e retirou uma videira do Egito. Em seguida, guiou essa videira direto para os montes.

Que Deuteronômio dê seu testemunho:

> Pois a terra em que vocês estão prestes a entrar para tomar posse não é como a terra do Egito [...]. A terra da qual em breve tomarão posse é uma terra de montes e vales, com chuva em grande quantidade, terra da qual o SENHOR, seu Deus, cuida continuamente, todo o ano!
>
> Deuteronômio 11.10-12

Perdoem a firme compreensão do óbvio, mas, sem vales, não há montes. Não é possível reconhecer uma região montanhosa sem uma região de baixo relevo. Você não demonstrará a reverência adequada por uma elevação sem respeitar o risco de uma queda. Nas Escrituras, montes e montanhas não se referem apenas a altitudes. Referem-se a ação. Movimento. Altos e baixos. Subir e descer, como os anjos na escada de Jacó.

As colinas exigem intencionalidade. Não se caminha por elas de maneira casual. É preciso escalá-las. Você força as coxas e batatas da perna, e suas pernas o lembrarão dias mais tarde desse esforço. Você precisa prestar atenção a onde pisa nos montes, para não escorregar.

Entretanto, uma vez que tenha chegado ao topo, o panorama é sua recompensa. Para qualquer um com bom senso, a altitude muda a atitude. Lá em cima, você ganha uma perspectiva bem diferente de onde esteve e para onde vai.

Não sei como vai sua escalada neste momento. Talvez seus músculos estejam ardendo de fadiga sob um casamento difícil ou trabalho árduo ou um relacionamento doloroso. A sensação é de que você já vem galgando o caminho por metade de sua vida, e a pior parte é que você nem consegue avistar o topo.

Tudo bem se você parar para tomar fôlego. Ninguém consegue manter uma escalada íngreme por tempo indeterminado sem um respiro. Imagino que você sente vontade de se esconder de vez em quando, assim como eu.

O salmista via Deus como seu esconderijo. O que Deus representava para Davi, ele pode representar para nós. Ele nos ama com a mesma intensidade. Ele vê nosso desafio íngreme com a mesma compaixão. Ele promete que seus esforços não serão desperdiçados, mesmo que seja assim que você se sinta no momento.

VOCÊ FOI PLANTADO *DE PROPÓSITO*.
NÃO ATERRISSOU AQUI POR ACIDENTE.

Talvez a paráfrase de Eugene Peterson do salmo 31 sirva como um pouco de oxigênio para seus pulmões agora:

Sim, tu és minha caverna, onde posso me esconder;
    meu monte, para subir.
Sê meu líder de confiança,
    meu verdadeiro guia nas montanhas.
Livra-me das armadilhas escondidas —
    quero me esconder em ti.
Depositei minha vida em tuas mãos.
    Sei que não me deixarás cair,
    nunca me decepcionarás.

Salmos 31.3-5, MSG

+ + +

Colinas e montanhas são colisões gloriosas da geometria e habilidade artística do Criador. Possuem a cinematografia de romances épicos, colocando-se como obstáculos a serem atravessados pelo apaixonado que não se deterá diante de nada para chegar ao objeto de seu afeto.

Ah, ouço meu amado chegando!
    Ele salta sobre os montes,
    pula sobre as colinas.

Cântico dos cânticos 2.8

Admita que a cena não seria a mesma se o amante descrito nesse versículo houvesse percorrido uma distância equivalente a de uma pista de corrida numa escola do ensino médio.

No mundo da viticultura, o lavrador precisa de perseverança, educação, habilidade, experiência, intensidade, paixão e senso de oportunidade. Suas habilidades para cuidar, esperar, esforçar-se, cortar e experimentar estão todas à mostra num vinhedo produtivo. Os vales servem bem, mas as encostas de montanhas e as colinas expõem o trabalho do lavrador como cavaletes ostentando obras de arte impressionistas.

Lembra-se de quando Jacó, a quem Deus rebatizou como Israel, proferiu aquelas bênçãos proféticas sobre os doze filhos após eles terem se reunido no Egito, logo antes de o velho patriarca morrer? E lembra-se de que Jacó, depois de passar por dez filhos, chegou enfim a José e o chamou de "árvore frutífera" (Gn 49.22)?

Séculos mais tarde, Deus chamaria seu servo Moisés para proferir bênçãos proféticas sobre as doze tribos mais uma vez. Não é coincidência que a nação de novo se juntava como uma, e de novo embarcava numa era nunca vista.

Dessa vez, a direção era precisamente a inversa. Estavam retornando à terra onde os ancestrais haviam vivido antes de serem arrancados pela raiz e plantados no solo egípcio nutrido pelo Nilo. Dessa vez, era Moisés, não Jacó, que se via no limiar da morte. Dessa vez, era o livro de Deuteronômio que chegava ao fim, não o de Gênesis. Dessa vez, a árvore frutífera de José não cresceria apenas; ela se propagaria sob os raios calorosos do sol de sua terra.

Aqueça-se sob a bênção abundante a José que parte dos lábios de Moisés, servo de Deus.

A respeito da tribo de José, disse:

> "O Senhor abençoe suas terras
>   com a dádiva preciosa do orvalho do céu
>   e água das profundezas da terra;
>   com os ricos frutos que amadurecem ao sol
>   e as colheitas fartas de cada mês;

com as mais excelentes safras dos montes antigos,
e os ricos frutos das colinas eternas;
com as melhores dádivas da terra e sua fartura,
e o favor daquele que apareceu no arbusto em chamas.
Que essas bênçãos repousem sobre a cabeça de José
e coroem a fronte do príncipe entre seus irmãos".

Deuteronômio 33.13-16

A bênção de José jorra do solo num gêiser de adjetivos. Dádiva *preciosa*. Colheitas *fartas*. *Excelentes* safras dos montes antigos. Os *ricos* frutos das colinas *eternas*. Aspectos espetaculares, contando até com painéis solares.

O prêmio ainda vai para o rapaz com a túnica multicolorida. É surpresa para alguém que ele precisasse de uma dose extra de humilhação?

Ninguém com bons ouvidos entre o público original de Moisés teria perdido a referência ao "favor daquele que apareceu no arbusto". A Nova Versão Transformadora acrescenta "em chamas" ao fim da frase, deixando a conexão ainda mais clara (Dt 33.16).

Apenas um indivíduo entre as centenas de milhares de pessoas reunidas nas planícies de Moabe naquele dia já havia testemunhado a manifestação de Deus no arbusto em chamas. A Moisés não seria permitido entrar na Terra Prometida, mas o Deus que o chamou nos confins de um deserto o enterraria no topo de uma montanha com perfeita visão panorâmica.

Nenhuma tribo de Israel levaria o nome de José. Seus filhos, Efraim e Manassés, seriam os ancestrais tribais em seu lugar. A videira de José não estava destinada a limitações, de todo modo. Como o pai, Jacó, havia profetizado quatro séculos antes:

José é árvore frutífera,
 árvore frutífera junto à fonte;
 seus ramos se estendem por cima do muro.

Gênesis 49.22

A videira que Deus retirou do Egito e levou para a Terra
Prometida cresceu a princípio — não com perfeição, mas com
prazer — e se espalhou pelos montes e atravessou os vales (Dt
11.11). Entretanto, na canção de Isaías ao Amado, o profeta
canta de forma poética não sobre múltiplos montes, mas sobre
uma única colina, simbólica de toda a terra, onde Deus plantou seu vinhedo: "Meu amado tinha um vinhedo numa colina
muito fértil".

O público, ao ouvir a canção de Isaías lá por 800 a.C., reconheceu com exatidão à qual colina a letra se referia. Se havia
espaço para alguma dúvida, o Amado a removeu quando se
dirigiu de maneira direta à colina dois versículos adiante:

Meu amado tinha um vinhedo
 numa colina muito fértil. [...]
Agora, habitantes de Jerusalém e Judá,
 julguem entre mim e meu vinhedo.
O que mais poderia ter feito por meu vinhedo
 que já não fiz?

Isaías 5.1-4

Cinco capítulos mais tarde, o profeta Isaías conecta os
pontos com marcador permanente ao se referir ao "belo monte Sião, o monte de Jerusalém" (Is 10.32). Em outras palavras,
Deus plantou sua videira amada na cidade montanhosa de
Jerusalém.

Pulemos para sete séculos adiante, para uma colina relvada às margens do mar da Galileia. Sentado acima do público, onde sua voz seria amplificada, Jesus declamou o incomparável Sermão do Monte. As palavras que transmitiu aos discípulos vêm, desde então, sendo repetidas por toda geração de seguidores que atendem pelo nome dele. Aqui estão algumas das passagens mais memoráveis daquele sermão:

> Vocês são a luz do mundo. É impossível esconder uma cidade construída no alto de um monte.
>
> Mateus 5.14

Jesus deixou em aberto a identidade da cidade em questão. Não há nenhum artigo definido precedendo o nome. Apesar de declarar que seus seguidores eram como *"a luz do mundo"*, ele lhes descreveu apenas *"uma cidade construída no alto de um monte"*.

A multidão se reuniu a quase 130 quilômetros ao norte de Jerusalém numa colina da Galileia, mas muitos teriam visualizado em sua imaginação um cartão-postal da cidade mais importante do mundo judeu. Jerusalém, afinal, era a "cidade de nosso Deus", "o santo monte", "alto e magnífico", "a cidade do grande Rei", que "toda a terra se alegra" em ver (Sl 48.1-2).

Cada peregrino fiel que escutava Jesus pregar havia realizado a árdua jornada para comparecer diante de Deus dentro das fronteiras de Jerusalém durante os grandes festivais promovidos lá todos os anos. Caso se aproximassem da cidade à noite, ela se mostraria iluminada com incontáveis lâmpadas. Caso se aproximassem durante o dia, com a luz do sol irradiando contra as paredes em calcário do Templo de Herodes, ela emitiria um brilho quase ofuscante sob um céu sem nuvens.

As Escrituras, ao descreverem a jornada de alguém à cidade de Jerusalém (também referida como Sião), muitas vezes usam a expressão "*subir* a Jerusalém", não importando o ponto de partida do peregrino. A partir de lá, tudo seguia morro abaixo.

+ + +

Você também foi plantado de propósito. Não aterrissou aqui por acidente. A direção à qual está voltado, o modo como sua vida se inclina — nada disso se deu por acaso. Talvez tenha havido dias em que você se cansou de escalar e ansiou por um relevo mais plano. No entanto, as ladeiras estão cobertas de um propósito tremendo. Deus as utiliza para nos inclinar em direção à luz, para nos drenar a lama do coração com chuvas de primavera, e para nos oferecer um vislumbre da paisagem que um dia teremos diante de nós.

7
Pedras

Se você se recorda da introdução, minha paixão pelas uvas começou num táxi, quando viajei com minhas filhas de nosso hotel na região rural da Toscana até Siena. Permita-me recapitular a cena de fim de setembro para você: os ceifeiros de uvas se moviam de maneira rítmica para cima e para baixo pelas fileiras no vinhedo da encosta, cortando os últimos cachos maduros e deixando-os cair em cestos.

A visão em si já teria sido sublime o bastante para alimentar minha paixão, mas amor à primeira vista não é bem meu estilo. As palavras são minha linguagem do amor. Minha paixão foi pintada como uma tatuagem em meu ombro pelo que a motorista do táxi nos revelou.

Sei que você agora está esperando por algo sentimental e sagaz, mas não será esse o caso. Nossa motorista italiana falava inglês apenas no nível mais básico de conversação, mas compensava a falta de proficiência com entusiasmo. Com sotaque pesado e delicioso, em cadência digna de um filme, ela anunciou:

— Adoro *conversare* com americanos! Posso *praticare* meu inglês!

Não se esqueça que para chegar à Grã-Bretanha bastava uma rápida corrida escada acima e por um corredor à esquerda a partir da bota de couro italiana. Em cinco segundos, a mulher de cabelos negros havia enfeitiçado as três americanas deslumbradas.

Encantada pela visão matutina de um vinhedo durante a colheita, irrompi em exclamações maravilhadas de toda espécie. Ela ajustou o espelho retrovisor para captar meu olhar e, pelo modo como seus olhos castanhos cintilaram e as têmporas franziram, percebi algo de travesso em seu sorriso. Entrei no jogo.

— Quer *sabere* algo sobre uvas? — perguntou ela.

— Gostaria, sim. Você tem um público cativo bem aqui.

— As uvas — disse ela, baixando o queixo e erguendo as sobrancelhas com autoridade. — Elas *gostare* do solo pedregoso.

Foi aí: o momento em que me apaixonei.

Lamento se é algo anticlimático. É só que, em todos esses anos, jamais consegui encontrar um único balde de terra a quilômetros de distância de minha existência que não tivesse pedras retinindo dentro dele.

Compreendi naquele momento que eu *encontrare* meu fruto. A uva é meu fruto.

Antes de anoitecer naquele dia, acessei um buscador de pesquisas. Quando nosso avião pousou na pista do aeroporto de Houston uma semana mais tarde, eu já tinha a caminho uma encomenda para uma pilha de meio metro de altura só de livros sobre viticultura. Em poucas semanas, já havia lido a maioria deles do início ao fim, e estava à caça de mais.

+ + +

Tendo inspecionado as colinas no capítulo anterior, chegamos agora à hora de levar a pá até elas.

> Meu amado tinha um vinhedo
> numa colina muito fértil.

> Ele arou a terra, tirou as pedras
> e plantou as melhores videiras.

Isaías 5.1-2

A ordem precisa das preparações para o vinhedo na canção de Isaías é bem reveladora. Contudo, sem o conselho de lavradores experientes, os viticultores amadores (como a maioria de nós) inverteriam, por instinto, as duas primeiras ações.

Do jeito que visualizo o processo, o proprietário das terras escolheria a colina perfeita e, em seguida, removeria as pedras espalhadas na superfície. Só então, uma vez que o solo estivesse livre de obstáculos, o lavrador começaria a fincar a pá no chão e revirar a terra.

Entretanto, a ordem na canção do amado é a inversa. Ele arou e *depois* tirou as pedras.

A ordem dos eventos descrita por Isaías transmite um dos principais atrativos da propriedade específica que o Amado escolheu, levando-nos direto à característica da *vitis vinifera*, a videira comum, a primeira que virou meu mundo de cabeça para baixo. Depois de pesquisar um pouco em minha nova biblioteca sobre viticultura, descobri que nossa motorista tinha toda a razão. "Todas as uvas apreciam o cascalho, o sílex, a ardósia ou os solos pedregosos, e as melhores terras são tão inférteis e pedregosas que um produtor de milho não as aceitaria nem como presente."[1]

Entende o que isso quer dizer? O que é fértil para uma videira poderia ser fatal para o milho.

O autor explica a seguir que as pedras não são simples obstáculos com que o lavrador precisa lidar; são algo de que as uvas *necessitam* para prosperar.

Em Bordeaux, Château Ducru-Beaucaillou leva esse nome por causa de seus "belos seixos". Graves, a grande região ao sul de Bordeaux, deve seu nome à palavra francesa para o cascalho. Os solos para uvas na Califórnia revelam-se cobertos por sílex, obsidiana e detritos vulcânicos.[2]

O autor britânico Jamie Goode manifesta uma paixão insaciável pelo fruto da videira. Ele é doutorado em biologia vegetal, levando à mesa do banquete, além de experiência, conhecimentos especializados. O melhor de tudo é que ele escreve sobre uvas com um senso de familiaridade — como se as conhecesse em pessoa.

Forçar as videiras a se debaterem resulta, em geral, em uvas de melhor qualidade. Não é muito diferente das pessoas. Coloque alguém num ambiente quase perfeito, dando-lhe todo o conforto e tudo que elas poderiam querer para satisfazer suas necessidades físicas, e isso talvez leve a consequências desastrosas para sua personalidade e forma física. Se você tomar uma videira e tornar suas necessidades de água e nutrientes acessíveis com muita facilidade, isso (de forma meio contraintuitiva) lhe renderá uvas pobres.[3]

COM DEUS, *NADA* TEM UM FIM
ALEATÓRIO, NÃO IMPORTA QUÃO
CAÓTICOS PAREÇAM OS MEIOS.

Goode declara adiante que o bom solo oferece à videira uma escolha — e, dada a opção, ela optará pelo caminho mais fácil em vez de se dar ao trabalho de gerar frutos.

[Dê à videira] um ambiente favorável, e ela escolherá tomar a rota vegetativa: isto é, investirá suas energias em gerar folhas e brotos. Na prática, ela declara: "Este é um lugar bom, vou me acomodar por aqui". Não vai se preocupar muito em gerar uvas. No entanto, crie dificuldades para a videira, restringindo-lhe o fornecimento de água, tornando os nutrientes escassos, podando-a com firmeza e rodeando-a de vizinhos próximos, e ela perderá o bom humor. Sentirá que aquele não é o local ideal para ser uma videira. Em vez de se devotar a crescer e se espalhar, ela concentrará os esforços na reprodução sexual, o que, para uma videira, significa uvas.[4]

Em outras palavras, enquanto a videira não se sentir desconfortável e desafiada, ela se contentará em produzir folhas. Premiará seu anfitrião com folhas, folhas, folhas e mais folhas. Gerará guirlandas de folhas até satisfazer seu coração feliz. Depois de algum tempo, ela se tornará tão densa que o transeunte faminto observará: "Não há sequer um cacho para comer".

A videira se reproduz quando passa a temer que sua sobrevivência esteja em risco. Ela responde à ameaça dando o melhor de si para garantir que sua espécie sobreviva, mesmo que ela própria não consiga.

Da próxima vez que lançar uma uva madura e gordinha à boca, agradeça à mãe sacrificada, que receou não sobreviver à gravidez.

+ + +

Aqueles que temem se sentirem escandalizados de forma irreparável ao se familiarizarem com os hábitos reprodutivos da videira talvez prefiram pular este parágrafo, mas eu o incluo porque se presta a uma certa quantidade de aplicações. As videiras cultivadas, com raras exceções, são hermafroditas. Possuem órgãos reprodutivos tanto masculinos como femininos.[5]

É óbvio que um desenvolvimento completo da metáfora seria preocupante. Eis, porém, o que deve ser levado em consideração sem dúvida nenhuma: propõe-se que tanto o masculino como o feminino estejam presentes na obra do Lavrador divino. Cada um de nós, homens e mulheres, é chamado para ser parte do *cultivar* — variedade cultivada de maneira proposital — da Videira (Gn 1.27). Bem desde o início, Jesus convocou tanto homens como mulheres para a obra de seu evangelho. Deus derramou seu Espírito sobre servos e servas, e não poupa nenhuma vida receptiva (At 2.18).

A fertilidade nasce do Espírito, é claro, e não da carne. No vinhedo de Deus, o florescimento que culmina em frutos não ocorre pela fertilização entre macho e fêmea — não estamos falando de homens e mulheres cristãs se casando e tendo filhos. A habilidade de produzir uma imensidão de frutos resulta somente da força vital da Videira.

João 15 descreve um tipo de produção de frutos que Cristo valoriza acima de todos os outros. Cada vida ligada a ele possui a capacidade sobrenatural de render uma produtividade estupenda. Como a videira natural, porém, estaríamos propensos a nos perguntar de vez em quando se o solo em que fomos plantados está tentando nos cultivar ou nos matar.

Seja bem-vindo ao vinhedo fértil, onde as uvas crescem apenas sob tensão.

Se o campo ensolarado da videira não for pedregoso o bastante, ela se mostrará toda exibida, com folhas verdes exuberantes, mas poucos frutos. Se o campo da videira for pedregoso demais, faltará para ela terra o suficiente para manter as raízes saudáveis, e a planta murchará de forma melancólica. Portanto, o proprietário das terras à procura do local perfeito para plantar a videira escolhida age precisamente como agiu o Amado em Isaías 5. Ele buscou um ponto excelente num clima apropriado com acesso generoso ao sol, um aspecto capaz de encharcá-la de água, mas também de drená-la, e a quantidade certa de pedras para tornar a situação desafiante na medida certa para que as videiras sentissem um leve desconforto.

O Amado na canção de Isaías tomou a pá e revirou a terra para soltar e arar o solo, mas também realizou a tarefa de revelar pedras que não eram visíveis a partir da superfície. Com isso, ele avaliou a proporção de solo para pedras e começou a seleção.

O tipo de pedra encontrado na colina de todas as colinas que o Amado escolheu era, sem dúvida, o calcário. É tão nativo de Israel quanto o sal é do mar. É tão característico da cidade de Sião que mereceu o nome de "pedra de Jerusalém". Durante toda a história da cidade, o calcário tem sido escavado para a construção das estruturas mais famosas da cidade.

Mais especificamente, o calcário prevalente no solo teria beneficiado a videira na canção de Isaías de maneiras impressionantes.

Em primeiro lugar, teria sido um contribuinte importante para a rica *terra rossa* (solo semelhante à argila vermelha).

Em segundo lugar, os pequenos afloramentos rochosos no solo teriam ajudado as raízes a respirar e beber, além de fornecer tensão adequada para que a videira produza uvas.

PEDRAS

Em terceiro lugar, as pedras retiradas do campo eram perfeitas para ser reaproveitadas em muros em torno do vinhedo. Esses muros impediriam que animais como os chacais destruíssem as videiras. Salomão tornou famoso um dos turistas mais indesejados num vinhedo:

Peguem todas as raposas, as raposinhas,
  antes que destruam o vinhedo do amor,
  pois as videiras estão em flor!

Cântico dos cânticos 2.15

Em quarto lugar, prensas de uvas e tonéis — necessidades absolutas em qualquer vinhedo — teriam sido talhados a partir das pedras sólidas mais imponentes e menos transportáveis.

Em quinto lugar, o calcário teria sido empregado pelo proprietário que investiu pessoalmente na construção de uma torre de observação, garantindo cuidado e proteção ideais por meio do contato visual. Tratava-se de um esforço adicional — algo como o proprietário de um condomínio que, de seu próprio bolso, não fornece apenas um muro e um portão para um prédio, mas também contrata um segurança para o local.

Ele arou a terra, tirou as pedras
  e plantou as melhores videiras.
No meio do vinhedo, construiu uma torre de vigia
  e, junto às rochas, fez um tanque de prensar.

Isaías 5.2

Não é de admirar que o Amado indagasse a seu vinhedo, em essência: "O que mais eu poderia ter feito por você?".

Essa é uma lista bem impressionante de regalias — necessidades, até — que resultam das mesmas pedras teimosas que imaginamos que estão determinadas a nos destruir. Nas mãos de um Lavrador hábil, as pedras não são apenas algo no qual tropeçamos e machucamos o dedão do pé. São catalisadores de nosso crescimento.

Mesmo assim, pelo nosso ângulo de visão, mesmo deste lado da cruz, onde a morte abre caminho para a vida, às vezes o que Deus fez por nós nos deixa com a sensação de ser, em vez disso, algo que ele fez a nós.

+ + +

Eu nunca me afeiçoei a meu solo pedregoso. Mesmo depois de uma vida inteira de prática, eu ainda jogaria fora todos os afloramentos rochosos e peneiraria cada pedregulho que encontrasse. Se tudo fosse como quero, eu misturaria o solo perfeito para mim, confortável e aconchegante — e, tenha dó, limpo. Eu faria o mesmo por meus entes queridos. Para ser bem honesta, é constrangedor quanto esse solo pedregoso vem durando.

Às vezes, quando observo os rostos em meu redor, quase consigo ler as perguntas não enunciadas. Talvez eu esteja imaginando coisas, mas é isto que me pergunto se estão pensando:

Vocês não conseguem se recompor melhor do que isso?
Parece que não.
Sua família ainda está lidando com isso?
Parece que sim.

Olho em volta para outros servos, e, pelo menos até onde consigo ver, alguns deles não aparentam viver um drama interminável. É verdade que poucos o fazem, e, Deus meu, às vezes flagro minha mente estúpida se perguntando sobre eles o que outros devem se perguntar sobre mim e minha família. *O que deu errado ali? E por que eles não consertam o problema?*

Por mais que eu tente, não consigo consertar minha vida. Ah, eu tentei, com certeza. Se o esforço facilitasse o caminho, eu estaria caminhando sobre um tapete de *marshmallows*. Mesmo assim, os desafios em minha vida nunca deixaram de se agigantar. Às vezes, agigantam-se tanto que quase eclipsam o sol. Com um histórico questionável como o meu, a explicação mais simples é que pequei de forma tão deplorável e fiz tantas escolhas tolas que acabei por sabotar o resto de minha vida além da possibilidade de recuperação. No entanto, isso não soa muito como o evangelho de Jesus, soa? "Você está completamente perdoada, ficha limpa, mas, uau!, não há nada que eu possa fazer sobre essa bagunça que você aprontou."

Aos sessenta anos, tenho a sensação de que o solo pedregoso da vida do seguidor de Jesus não é tanto uma questão de fracasso quanto de fecundidade. Creio que um desses dias, depois de vermos Cristo face a face, ele talvez comente algo como: "Lembra-se de todas aquelas dificuldades pelas quais fiz você passar? Eu lhe fiz um favor. Pode me agradecer agora". E aposto que agradeceremos, e, daquele lado da vida, aposto que seremos sinceros em nossa gratidão.

Ah, mas eu quero que seja mais fácil. Você não? Será que não somos todos como Pedro, que, depois de ouvir sobre dificuldades incontroláveis adiante, apontou na direção de João e perguntou: "Senhor, e quanto a ele?".

"O que lhe importa?", Jesus respondeu. "Quanto a você, siga-me" (Jo 21.21-22).

Não sei explicar por que o solo de algumas vidas tremendamente frutíferas não parece tão predisposto a pedras, mas estou certa de que Jesus pensa que nada disso é da minha conta.

Nosso papel é seguir Jesus. Ele sabe o que está fazendo com você. Ninguém jamais é mais amado do que você. Ninguém é uma prioridade maior do que você. Não há ninguém tão alto na lista dos favoritos dele a ponto de abafar ou diminuir a contribuição que você oferece ao corpo de Cristo.

Na realidade, Deus não tem favoritos. Paulo deixou isso muito claro ao escrever sobre aqueles que pareciam ser de maior influência, "cuja reputação, a propósito, não fez diferença alguma para mim, pois Deus não age com favoritismo" (Gl 2.6). Então, em Colossenses 3.24-25, ele lembra que "o Senhor a quem servem é Cristo" e que "Deus não age com favoritismo". E ainda, em Efésios 6.9, ele repete: "[Deus] não age com favoritismo".

Quero fazer uma pausa para salientar aqui que há pedras boas e pedras ruins. Algumas pedras em nossa vida fazem parte do solo nativo e são utilizadas por Deus para nos desafiar e nos ajudar a crescer. Contudo, há outros tipos de pedras que fazem parte de um sistema nocivo — pedras não nativas com a intenção de esmagar toda a vida e bondade.

Pedras como essas incluem sofrer abusos. Ou ser forçado a servir como dano colateral de outra pessoa. Ou ser pressionado a "se sacrificar pelo time", o que, na prática, significa "deixe-nos pecar contra você e não conte a ninguém". Jesus enxerga tudo isso. Ele percebe o momento em que as pedras junto a seus pés lhe machucam a pele e quando outras pessoas as arremessam de propósito contra você.

Ah, ele sabe, sem dúvida. Algumas pedras nós não deveríamos hesitar em lhe pedir que mova para nosso bem. Elas não são nem um pouco nativas do solo de Deus. Advêm das mãos do demônio. Quando são atiradas contra nós, não permanecemos passivos nem as aceitamos. Buscamos um lugar seguro e denunciamos a ofensa. Procuramos conselho e uma comunidade saudável que nos ajude a removê-las. Essas pedras são grandes e perigosas demais para que a levantemos sozinhos.

Caso você sinta que nunca consegue escapar das pedras por muito tempo em sua vida cotidiana, saiba que não está sozinho. Há muitos outros entre nós que constroem suas casas em solo pedregoso.

Meu trabalho mais significativo surgiu da mais cruel das estações:

Cada livro importante que escrevi foi redigido sob circunstâncias à beira do insuportável. Escrever um livro nunca foi simples para mim.

Chega a ser cômica a frequência com que me vejo despreparada para as oportunidades excelentes que me surgem.

Se estou bem, alguém junto a mim — alguém querido e próximo de meu coração — não está.

Na maior parte do tempo, algo em algum ponto de meu corpo dói.

As ocasiões em que estou de melhor humor para falar em público é quando tenho a maior propensão a expressar algo de uma estupidez profunda.

Para mim, vencer é precisar gastar apenas cerca de dez por cento de meu tempo pedindo desculpas.

Sempre que me vejo com uma pequena oportunidade para me orgulhar de mim mesma, posiciono-me diante dela como Rose na proa do *Titanic*, mas assim que sinto o vento em meu rosto, um tornado surge do nada e me arremessa ao espaço.

Os contos de fada nunca funcionam para mim.

É assim que a vida tem transcorrido na maior parte do tempo. Não me deixe convencê-lo de que percorro uma estrada de sofrimento constante. Não só isso não seria verdade, mas seria um insulto àqueles que sofrem de fato. Como a maioria das pessoas, empreendi minha jornada por estações legítimas de sofrimento, e essas estações cumprem uma função vital na produção de frutos.

Neste momento, o solo sob meus pés contém sua parcela de pedras. Não são rochedos, talvez, mas são pedras mesmo assim. Ainda consigo andar sem problemas, mas as solas dos pés permanecem um pouco machucadas.

Não importa se você se encontra numa estação turbulenta ou numa estação de relativa calmaria, o vinhedo tem muito a nos ensinar sobre como lidar com o solo pedregoso. O Amado é fiel ao remover muitas pedras, mas existem outras que ele coloca em jogo.

Eu lhe fiz um favor. Pode me agradecer agora.

O favor é a dependência. É provável que nós, que nunca paramos de querer Jesus, nunca paramos de precisar dele. E quando nossa paixão minguava por um breve período, estávamos sempre a uma crise de distância de nossa restauração.

Deus é soberano. Ele realiza o que lhe apetece com cada um de seus servos. No entanto, o que não consegue fazer é agir contra seu próprio caráter. Não é capaz de pecar contra nós. Não tem como fechar o coração para nós. Não tem como ser imparcial quanto a nós. Não consegue nos tratar como se não lhe pertencêssemos.

> Não nos castiga por nossos pecados,
> nem nos trata como merecemos.
> Pois seu amor por aqueles que o temem

é imenso como a distância entre os céus e a terra.
De nós ele afastou nossos pecados,
 tanto como o Oriente está longe do Ocidente.
O Senhor é como um pai para seus filhos, bondoso e
 compassivo para os que o temem.
Pois ele sabe como somos fracos;
 lembra que não passamos de pó.

Salmos 103.10-14

Pó nas mãos de Deus.
Argila.
Solo.
Ele continua a nos moldar e remodelar de glória em glória, e quando o ato de viver se torna quase mortal para nós, ele se inclina sobre nosso corpo de argila e nos sopra vida fresca para dentro dos pulmões.

Às vezes, consigo raciocinar dessa maneira — em paz, com sensatez, maravilhada e admirada, e até mesmo com lágrimas gratas por Deus ser tão bondoso a ponto de me confiar essas dificuldades. Outras vezes, só o que consigo exclamar é: "O que é que está acontecendo aqui?".

Isaías 46.10 revela algo sobre a onisciência de Deus que quase sempre me conforta. Ele distingue o fim do início. A mente de Deus não conhece limites. O que é verdadeiro sobre o conhecimento do Senhor acerca de questões universais é verdadeiro sobre o conhecimento dele acerca de nossas questões humanas.

Somos, afinal, os tesouros de Deus. Ele sabe qual é a meta da vida de cada um de nós. Somos flechas na mão do Senhor, e ele sabe qual é o alvo que vamos atingir. Ele sabe com precisão o que deseja efetivar em nós. Com ele, nada tem um fim aleatório, não importa quão caóticos pareçam os meios.

Não sou telepata, mas tenho um palpite a respeito da resposta para uma das maiores perguntas que você tem em mente.

O que é que está acontecendo aqui?

Você está sendo preparado pelo Lavrador para um cesto de frutos.

PARTE III

A Videira

Sim, eu sou a videira; vocês são os ramos.
Quem permanece em mim, e eu nele,
produz muito fruto.

João 15.5

8
Videira

Os discípulos esperavam uma refeição tradicional da Páscoa judaica — uma ocasião especial, sem dúvida, mas bastante previsível. Eles sabiam de cor cada parte da refeição, tanto os textos como as canções. Haviam participado da festa com seus familiares todos os anos de sua vida. Há muito não se via a pressa com que os participantes originais haviam comido (Êx 12).

Agora, os discípulos se reclinavam e se acomodavam para o longo relato da história do êxodo. A lenta recordação transportou a imaginação dos comensais ao redor da mesa para aquela noite fatídica no Egito, quando o povo hebreu pintou os batentes das portas com sangue de cordeiro para que o Senhor passasse por suas moradas e poupasse a vida de seus primogênitos. Os ouvintes deveriam sentir a angústia, pois, sem ela, como apreciariam o alívio?

Reencenações simbólicas à mesa vinham acompanhadas por uma ampla gama de emoções:

Da amargura da opressão e a exaustão pelo trabalho extenuante...
à esperança postergada pelo coração endurecido do faraó...
ao horror dos gritos daqueles em luto...
à exultação da libertação...
e enfim à exaltação do Salvador de Israel, a vinda do Messias.

Por tradição, a refeição se encerrava com expressões de expectativa radiante em relação ao Salvador que viria. A Páscoa judaica era uma história sangrenta, mas sensacional de todo jeito. Os opressores não desistem dos desprivilegiados sem uma luta. Há muito lucro em jogo.

Será que a história era forte demais para crianças? Precisava de uma classificação etária mais alta? Não só havia crianças presentes à mesa, com todo o caos que traziam consigo; elas eram o público-alvo e as que faziam perguntas.

> Lembrem-se de que estas instruções são uma lei que vocês e seus descendentes deverão cumprir para sempre. Quando entrarem na terra que o SENHOR prometeu lhes dar, continuarão a realizar essa cerimônia. Então seus filhos perguntarão: "O que significa esta cerimônia?", e vocês responderão [...].
>
> Êxodo 12.24-27

A pergunta principal guiando o relato da narrativa do êxodo era proferida pela pessoa mais jovem presente que fosse capaz de participar: "Por que esta noite é diferente de todas as outras?".[1]

Naquela noite específica, naquele cenário específico, não havia nenhum bebê engatinhando sob a mesa de Páscoa e comendo sabe Deus o quê. Não havia nenhuma criancinha de três anos derrubando os cálices dos pais, ou crianças mais velhas emitindo um jorro constante de perguntas. Estavam lá os doze e Jesus. Ah, e havia cantoria. Com certeza, havia cantoria.

É provável que a pergunta que surgiria na mente dos doze naquela noite específica não fosse "Por que esta noite é diferente de todas as outras?". É mais plausível que fosse "Por que esta noite é diferente de todas as outras noites de Páscoa?".

Para início de conversa, aquele ponto de encontro foi determinado do jeito mais curioso.

Chegou o dia da Festa dos Pães sem Fermento, quando o cordeiro pascal era sacrificado. Jesus mandou Pedro e João na frente e disse: "Vão e preparem a refeição da Páscoa, para que a comamos juntos".

"Onde o senhor quer que a preparemos?", perguntaram.

Ele respondeu: "Logo que vocês entrarem em Jerusalém, um homem carregando uma vasilha de água virá ao seu encontro. Sigam-no. Na casa onde ele entrar, digam ao dono: 'O Mestre pergunta: Onde fica o aposento no qual comerei a refeição da Páscoa com meus discípulos?'. Ele os levará a uma sala grande no andar superior, que já estará arrumada. Preparem ali a refeição".

Eles foram e encontraram tudo como Jesus tinha dito, e ali prepararam a refeição da Páscoa.

Lucas 22.7-13

Por mais que eu tente, não consigo pensar em nenhum motivo para Jesus revelar o local a Pedro e João de maneira tão misteriosa a não ser pela pura aventura da situação. Apenas um homem que amasse seu rebanho mais que a própria carne teria se ocupado de tais prazeres num dia que, como ele bem sabia, terminaria em sofrimento tumultuoso.

Eles mal haviam se acomodado e relaxado quando Jesus admitiu: "Desejei ansiosamente comer esta Páscoa com vocês antes de sofrer. Pois eu lhes digo: Não comerei dela novamente até que se cumpra no Reino de Deus" (Lc 22.15-16, NVI).

Desejei ansiosamente. Palavras emotivas em português, mas ainda mais em grego. No idioma original, as palavras de Jesus teriam o que estudiosos chamam de uma "dupla construção" — a declaração se traduz de forma literal como "com ânsia eu anseio". Os ouvintes teriam reconhecido a profundidade dos sentimentos não apenas pelo brilho sincero nos olhos, mas também pela escolha enfática das palavras.[2]

Lá no fundo, creio que muitos de nós acreditam que Jesus passa o tempo em nossa companhia na maior parte por obrigação, como se fôssemos um apêndice irritante e desajustado ao qual ele está preso. Afinal, ele prometeu estar sempre conosco. Ele precisa cumprir sua palavra. É fácil enfiarmos na cabeça que somos tolerados mais do que apreciados. Meu palpite é que a maioria de nós não o imaginaria *ansioso* para passar o tempo conosco, mas é bem isso que as Escrituras descrevem da noite final de Cristo antes de morrer. O que ele desejava mais que tudo era compartilhar uma refeição com seus seguidores.

Era óbvio que Jesus havia contado os dias até a Páscoa. Talvez as horas. Talvez até os minutos. Então por que mencionar sofrimento antes que a ceia esfriasse? Talvez os doze mal houvessem notado, já que as palavras seguintes que saíram da boca dele sugeriam que o reino de Deus poderia ser estabelecido antes mesmo da Páscoa seguinte.

> Então tomou um cálice de vinho e agradeceu a Deus. Depois, disse: "Tomem isto e partilhem entre vocês. Pois não beberei vinho outra vez até que venha o reino de Deus".
>
> Lucas 22.17-18

Quando o significado não nos parece claro, tendemos a ouvir o que desejamos ouvir. Se eu estivesse à mesa naquela noite, teria desejado ouvir que Jesus permaneceria e jamais partiria, e que seu reino viria sem nenhuma cruz nem coroa de espinhos. Eu teria escolhido acreditar que, por sofrimento, Jesus se referia a algo filosófico, não tão horrivelmente físico.

Teria optado por ouvir que todos nós receberíamos uma promoção em breve — que tudo começava a valer a pena neste mundo invertido em que pescadores pescam gente e cobradores de impostos abandonam as mesas de dinheiro para seguir um rei trajado de camponês. No entanto, querer algo de todo o coração não basta para torná-lo verdadeiro.

Depois que Jesus passou o cálice em torno, ele tomou o pão e agradeceu a Deus. Partiu-o e o distribuiu entre os doze. Então enunciou estas palavras: "Este é o meu corpo, entregue por vocês. Façam isto em memória de mim" (Lc 22.19).

Talvez os discípulos fossem mais bem-educados que a média, e talvez por isso ninguém tenha comentado nada em voz alta. Contudo, pergunto-me se algum daqueles à mesa estava pensando: *Cara, por que você não está seguindo o roteiro?*

> Depois da ceia, Jesus tomou o cálice de vinho e disse: "Este é o cálice da nova aliança, confirmada com o meu sangue, que é derramado como sacrifício por vocês".
>
> Lucas 22.20

Ninguém à mesa conhecia o roteiro melhor que Jesus. Pelo amor de Deus, ele *escreveu* o roteiro, e ele tanto o cumpriria como o concluiria. O resto da noite foi não apenas diferente de qualquer outra noite de Páscoa; foi diferente de qualquer outra noite na história. Foi planejada para ser assim por toda a eternidade.

Naquela noite, os discípulos se viram, sem saber, sentados à mesa com o "Cordeiro, que foi morto antes da criação do mundo" (Ap 13.8). No momento em que ele soprou uma alma para dentro de Adão, a queda era inevitável e a cruz era praticamente certa. Tudo foi premeditado. Não uma reflexão posterior.

Tome, beba.

Tome, coma.

Muitas vezes me pergunto como eu teria reagido se estivesse sentada àquela mesa com Jesus na véspera da crucificação. Eu teria visto a dor nos olhos dele? Teria sentido o peso do que estava por vir? Ou teria me encontrado distraída demais pelo fato de que Jesus não estava seguindo o roteiro?

Só Deus sabe quantas vezes deixo de notar a coisa nova que ele está fazendo porque imagino que sei como a vida deveria ser. A verdade é que não quero que essa noite seja diferente de qualquer outra noite. Quero saber o que esperar. Quero encontrar um bom ritmo e quero que Deus se atenha a ele. Eu esqueço que, como Autor, ele tem o direito de levar o roteiro por quantas voltas e reviravoltas ele desejar. Só ele sabe como a narrativa deve seguir para alcançar o objetivo escolhido. Só ele sabe em que capítulo ele está e quão perto ele está do final.

+ + +

Se os discípulos houvessem compreendido a importância da revelação exposta à mesa naquela noite, teriam se poupado do embaraço de discutir sobre quem era o melhor. Ante uma menção dos lábios de Cristo de que um traidor estava entre eles, todos se transformaram, de repente, em menininhos com capas nos ombros, competindo como super-heróis.

Mais tarde naquela noite, Jesus alertou: "Todos vocês me abandonarão, pois as Escrituras dizem: 'Deus ferirá o pastor, e as ovelhas serão dispersas'" (Mc 14.27).

No Evangelho de João, a cortina sobe no palco da última ceia com Jesus se erguendo da mesa e removendo a capa. Ele enrola uma toalha na cintura, derrama água numa bacia,

TANTAS VEZES DEIXO DE NOTAR A COISA NOVA QUE *DEUS ESTÁ FAZENDO* PORQUE IMAGINO QUE SEI COMO A VIDA DEVERIA SER.

coloca esta no chão, ajoelha-se e começa a lavar os pés encardidos dos discípulos. A ironia de que Judas logo correria daquela sala para trair Jesus com pés que Jesus havia acabado de lavar é impressionante. Seus pés ainda estavam úmidos entre os dedos quando ele traiu Jesus.

> Judas saiu depressa, e era noite.
>
> João 13.30

"Por que esta noite é diferente de todas as outras?" Nenhuma noite jamais havia sido tão escura. A extensão completa das palavras de Cristo registradas em João 14—17, conhecidas como o "discurso de despedida", ocorreu antes que Jesus saísse com os discípulos para o jardim (Jo 18.1).

Num volume extraordinário de ensinamentos que excede a extensão do Sermão do Monte, Cristo proferiu palavras com o peso do mundo. Ele prometeu preparar um lugar para seus seguidores na casa do próprio Pai. Muitos aposentos, muitos seguidores.

Não sei se receberemos nosso próprio quarto ou não, mas isso não importa. Nós então nos relacionaremos melhor. Jesus também se declarou inigualável, com a afirmação "Eu sou" na qual o cristianismo se sustenta ou pela qual perde a cabeça: "Eu sou o caminho, a verdade e a vida. Ninguém pode vir ao Pai senão por mim" (Jo 14.6).

Jesus prometeu enviar a seus seguidores o Espírito Santo — seu próprio Espírito. Ele lhes pediu obediência como uma expressão externa do amor por ele e prometeu se manifestar para eles. Avisou-os das dificuldades por vir e das alegrias que se seguiriam à angústia. Na prece mais sublime já registrada nas Escrituras, intercedeu por eles e por aqueles que lhes seguiriam os passos.

No mesmo discurso de despedida, Jesus também acrescentou as palavras que nos concernem nestas páginas:

> Eu sou a videira verdadeira, e meu Pai é o lavrador. [...] Permaneçam em mim, e eu permanecerei em vocês. Pois, assim como um ramo não pode produzir fruto se não estiver na videira, vocês também não poderão produzir frutos a menos que permaneçam em mim.
>
> Sim, eu sou a videira; vocês são os ramos. Quem permanece em mim, e eu nele, produz muito fruto. Pois, sem mim, vocês não podem fazer coisa alguma. [...] Quando vocês produzem muitos frutos, trazem grande glória a meu Pai e demonstram que são meus discípulos de verdade. [...] Vocês não me escolheram; eu os escolhi. Eu os chamei para irem e produzirem frutos duradouros, para que o Pai lhes dê tudo que pedirem em meu nome.
>
> João 15.1,4-5,8,16

"Eu sou a videira verdadeira." Esta é a sétima e última declaração começando com "Eu sou" no Evangelho de João.

Chame isso de alegoria, parábola, metáfora, do que quiser, mas chame-o de distinto. É algo único no discurso. Não é introduzido pelas palavras "O reino dos céus é como...". Não se orienta para o futuro. É presente e permanente. Talvez o mais importante é que é definitivo. Não deixa espaço para a ambiguidade.

Isso é o que meu Pai é, isso é o que sou, e isso é o que vocês são.

A ocasião do ensinamento de Cristo sobre a videira o torna ainda mais convincente, pois os discípulos estavam viajando quando ele transmitiu essa mensagem, rumo ao Getsêmani, o local onde Jesus suaria sangue em oração e, por fim, seria preso.

João 14 conclui com estas palavras de Jesus aos doze:

> Não tenho muito tempo mais para falar com vocês, pois o governante deste mundo se aproxima. Ele não tem poder algum sobre mim, mas farei o que o Pai requer de mim, para que o mundo saiba que eu amo o Pai. Levantem-se e vamos embora!
>
> João 14.30-31

As próximas palavras registradas a sair de seus lábios? "Eu sou a videira verdadeira, e meu Pai é o lavrador." Jesus não precisava de nenhum auxílio visual para estabelecer seu argumento, mas suas técnicas narrativas nos Evangelhos nos levam a crer que ele era perito em palestras audiovisuais. Na mente e língua dos ouvintes o "fruto da videira" estava fresco, já que este acabara de ser passado ao redor da mesa e destacado como o símbolo "da nova aliança, confirmada com o [seu] sangue".

Um auxílio visual adicional, porém, talvez tenha sido empregado para a videira e os ramos — um que se assomava acima de suas cabeças quando passaram pelo templo no caminho até o monte das Oliveiras.

Segundo alguns estudiosos, Jesus teria parado no templo com os discípulos depois de deixar a sala superior, antes de se dirigirem até o jardim do Getsêmani. À entrada do local santo no templo havia uma videira feita de ouro, que simbolizava Israel. Gary M. Burge, em seus comentários, observa que "cidadãos abastados traziam presentes para acrescentar à videira (brotos, uvas ou folhas de ouro), e esses seriam adicionado por ourives à videira em crescimento perpétuo (Middoth 3.8). Josefo alega que alguns dos cachos das uvas eram da 'altura de um homem'".[3]

Nos dias de Cristo, uma pessoa abastada poderia, na prática, comprar seu próprio fruto e tê-lo entalhado em ouro por tempos imemoriais. Imagine-se logo abaixo do pórtico do Templo de Herodes, o braço em torno dos ombros de uma criança. "Está vendo aquela uva ali? Aquela bem grande no topo do cacho, do lado direito?" A criança franze os olhos e fita, e acena que sim com a cabeça, torcendo para ter fixado o olhar na uva correta. "Aquela é a uva do seu avô. E aquela logo abaixo? É a do seu tio Isaac. Encha-nos de orgulho e adicione a sua algum dia, está bem, filho?"

Ele não teria de esperar até estar com idade avançada, pois aquele templo seria destruído em quarenta anos, uvas e tudo mais.

+ + +

Às vezes, é bastante óbvio nas Escrituras quando Jesus profere uma asserção revolucionária que desafiava as tradições. Tome como exemplo a vez em que a mulher junto ao poço descartou sua importância, considerando-o um teólogo amador. "Eu sei que o Messias (aquele que é chamado Cristo) virá. Quando vier, ele nos explicará tudo".

A resposta de Jesus? "Sou eu, o que fala com você!" (Jo 4.25-26).

Esse tipo de declaração poderia levar uma mulher a derrubar o jarro de água e quebrar o dedão do pé.

Alguns capítulos adiante no Evangelho de João, Jesus afirma publicamente ser o pão da vida. Ao se descrever como "o pão vivo que desceu do céu" que o povo comeria e, assim, viveria para sempre, ele decerto causou agitação imediata (Jo 6.48-52). Um rabino não se metia a falar do maná sem obter nenhuma reação.

A asserção de Jesus não é menos surpreendente aqui em João 15, mas a força do vendaval nos passa despercebida porque não somos israelitas do primeiro século. Não sabemos como é ter os pés peregrinos plantados no solo santo de Jerusalém para uma das grandes celebrações.

No tempo de Jesus, todos sabiam o que o vinho representava: Israel, pura e simplesmente. Por "puro", quero dizer "evidente", não "sem adornos", pois o profeta Oseias escreveu que Israel "é uma videira viçosa cheia de frutos" (Os 10.1). A videira era tão bem reconhecida como um símbolo de Israel que aparecia gravada em moedas.[4] Jesus não estava apenas contando uma parábola rotineira. Ele se atrevia a suplantar Israel.

Eu sou a videira verdadeira.

João 15.1

Agora, a videira não é a nação. Não é a terra. Não é a cidade de Jerusalém. Não são os descendentes de Jacó. Em uma só tacada, a velha videira que havia sido plantada com deliberação e meticulosidade por Deus era arrancada pela raiz e alterada de forma sumária — e eterna. Havia agora uma nova aliança. Um novo cálice. Uma nova videira. Um novo vinho. Tudo de acordo com um plano eterno.

A asserção de Cristo poderia ter sido explosiva caso ele a fizesse em público. Ninguém na face da Terra atribuía mais peso à terra que os israelitas — pois não foi porque o próprio Deus havia estabelecido aquela Terra Prometida que eles se tornaram assim? O *terroir*, o senso de localização, era agora lugar nenhum. Era uma pessoa — e de todas as pessoas possíveis, era justamente Jesus, o Nazareno.

Eu sou a videira verdadeira. Tratava-se de uma asserção partindo de um homem nascido num abrigo para animais, filho de uma moça que havia engravidado fora do casamento. Dessa vez, ele havia pisado em solo onde até os anjos temiam se aventurar.

Um israelita escrupuloso poderia relutar: *Mas esta é nossa terra natal!*

A resposta dele? *Agora eu sou sua terra natal. Permaneçam em mim.*

Tanto precisou ser suplantado na minha vida. Na sua também? Todos os nomes — pessoas, lugares, objetos — que acreditei serem inseparáveis de quem eu era têm sido visados por Deus de forma estratégica. Com o passar dos anos, ele vem buscando suplantá-los apenas com Cristo. Não foram jogados fora como se não tivessem valor, assim como a terra não foi relegada à insignificância para o povo de Deus. Eles tinham seu papel; apenas não eram Jesus.

Temos dificuldade em imaginar que Deus deseje suplantar justamente as coisas que ele mesmo nos forneceu. É aí que tudo se complica. Ele, afinal, havia concedido a terra aos israelitas, assim como nos concedeu nossas disciplinas espirituais, sonhos, visões, vocações, chamados e comunicações de fé.

Assim, quando ele passa a mexer com esses elementos, a terra sob nossos pés começa a tremer. Chega um ponto em que as regras para as quais havíamos prestado juramento — nossas estratégias comprovadas pelo tempo, nossos cinco segredos para a vitória, nossos doze passos, nossos grandes hábitos — já não bastam. Embora todas essas regras fossem boas, elas se embaraçam com o próprio Jesus e passam a cortar a circulação entre a Videira e o ramo.

Ele suplanta apenas com o propósito de dar vida, não de tomá-la. Ele nos lembra em momentos estratégicos de que nada nem ninguém nos sustenta além dele.

Jesus quer alterar seu senso de segurança para que você permaneça nele apenas, não em outras pessoas, lugares ou objetos. Ele sabe que essas coisas carecem do poder de ancorá-lo, oxigená-lo e animá-lo da forma como o Espírito dele o faz.

Se você está em Cristo, ele é sua Videira verdadeira, quer você se dê conta disso quer não. Entretanto, toda uma nova maneira de florescer se inicia quando você sabe. Quando conta com isso. Quando vive com base nisso. Quando desiste das outras videiras que imaginava que lhe davam vida.

Desde aquela noite escura que foi diferente de todas as outras, aquela noite em que Jesus fez sua proclamação ousada, cada indivíduo, judeu ou gentio, homem ou mulher, escravo ou liberto, seria definido em relação a uma única Videira. Essa Videira não pertencia a ninguém e era acessível a todos.

A Videira sabia que era chegada a hora, embora os ramos discordassem. Consulte a maioria dos livros sobre vinhedos a respeito de quando as primeiras uvas de uma videira nova costumam despontar. Você talvez se surpreenda ao descobrir a resposta.

É no ano três.

9
Permanecer

O trabalho do ramo é permanecer. Frutos são garantidos a todos os ramos que cumprirem esta única tarefa: permanecer na Videira. "É fácil", respondemos, e então passamos a vida regredindo à autonomia e depois nos arrependendo, reaprendendo o que significa permanecer.

De certa forma, pertencer soa como o comando mais fácil para que o seguidor de Jesus execute. Significa apoiar-se naquele que é mais forte, mais sábio e mais poderoso que nós — e que nos ama e nos defende. Contudo, para a maioria de nós, o "não fazer" é infinitamente mais difícil do que fazer. Passe-nos uma lista de afazeres ou um prazo a obedecer ou uma missão, mas, por favor, por tudo que é sagrado, não peça que nos desapeguemos e que fiquemos parados.

Esta é uma boa ocasião para firmar um princípio importante do pertencer. Não significa que você foi imobilizado. Essa é a beleza da forma como Cristo vira essa metáfora de ponta-cabeça. A videira, que antes era a terra, foi agora suplantada por Cristo. Isso significa que não permanecemos mais num lugar, mas numa pessoa. Residimos em Jesus. Quando ele se move, nós nos movemos. Quando ele para, nós paramos.

Segundo as Escrituras, caminhar e permanecer não são conceitos antitéticos: "Desta forma sabemos que estamos nele: aquele que afirma que permanece nele, deve andar como ele andou" (1Jo 2.5-6, NVI).

Numa conferência recente, recebi uma carta escrita à mão que me espantou tanto que precisei ler três vezes para garantir que eu havia entendido a história corretamente. A mulher testemunhava que havia cumprido uma sentença de dezessete anos sem condicional numa penitenciária estadual por um crime que não cometera.

Durante o tempo de encarceramento, ela leu uma pilha de estudos aprofundados sobre a Bíblia, um depois do outro. Ela afirmava que Deus a transformara de modo absoluto à medida que ela se dedicava às Escrituras. As palavras exatas que utilizou? "Era como se eu estivesse em lua de mel com Jesus."

Quando ela frequentou meu curso de nove semanas sobre Ester, seu coração se iluminou com uma esperança notável. "Se o rei reverteu a sentença de morte de Ester, meu espírito deu um salto ante a crença de que meu Rei dos reis reverteria minha sentença de morte."

Imagine como você e eu talvez tivéssemos tentado dissuadi-la dessa esperança impossível no caso bem provável de que Deus não interviesse dessa maneira. Ainda bem que ela não se apoiou na fé demonstrada por gente como eu. Eis que surgiram provas que provaram sua inocência, e logo essa irmã foi exonerada.

Ela saiu andando da prisão livre e desimpedida. Sei que ela contou a verdade, pois eu pesquisei o caso. Já fui feita de tola antes. Essa história, porém, não foi nenhuma enganação. Você talvez esteja pensando como eu: *Como eu gostaria que essa fosse a história de todos que algum dia foram acusados de forma injusta!*

Quero que você escute esta parte da história, em que ela louvava a Deus por escoltá-la para fora dos muros daquela prisão: "Estou livre por completo em Jesus! Mesmo na prisão, eu estava livre".

Por favor, considere estas palavras mais uma vez: *Mesmo na prisão, eu estava livre*. Essa mulher havia encontrado seu lugar de permanência, e era Jesus. Não era uma cela de prisão. Não era um apartamento urbano. Não era uma casa no campo. O ramo murcho havia reconhecido sua Videira verdadeira e recebido a vida de Cristo. Não importava se essa mulher estivesse atrás das grades, dormindo num colchão tão fino quanto papel ou correndo por um campo de girassóis; ela estava livre. Havia encontrado alegria por dentro e por fora porque Jesus era sua alegria, e ninguém conseguiria tomá-lo dela. O demônio havia tentado devorá-la, mas ele a perdeu para sempre para o Salvador que a cativou.

Uma vez que estejamos em Cristo, o devorador não tem mais como se banquetear com nossa alma. Por isso ele mira seus esforços na segunda melhor alternativa: ele tenta arruinar nossa eficiência.

Em nossa metáfora, eficiência significa fertilidade. E o que mais glorifica o Pai é que venhamos a produzir uma quantidade generosa de frutos — o bastante para exceder explicações naturais.

Sim, eu sou a videira; vocês são os ramos. Quem permanece em mim, e eu nele, produz muito fruto. Pois, sem mim, vocês não podem fazer coisa alguma.

João 15.5

O que Jesus quer dizer não é que os mortais são incapazes de realizar qualquer coisa sem permanecerem nele. Cada ser humano é criado à imagem dele, o que significa que somos todos capazes de produzir bons trabalhos. Em todo o mundo, o corpo de pessoas talentosas que não davam a mínima para Cristo se tornará gelado e rígido antes que este dia acabe. Serão escritos obituários e discursos fúnebres, listando as conquistas dessas pessoas. Todo tipo de trabalho será realizado por gente que não permaneceu em Cristo nem por um milissegundo.

O contexto de João 15.5 comunica algo mais próximo disto: "Separado de mim, você não será capaz de fazer nada que não conseguiria fazer de todo jeito". Dito de outra forma: "Separado de mim, você não consegue fazer o que só eu sou capaz de fazer". João 15 refere-se a viver uma vida naturalmente inexplicável. Refere-se a realizar o que não somos capazes de realizar sozinhos e a tornar-nos quem não conseguimos ser por conta própria.

É isso que atrai a atenção a Jesus. Quando os fracos se tornam fortes e os tímidos se tornam ousados e os seres temporais realizam obras imemoriais por meio da pura vitalidade de Jesus, são gerados frutos de imensas proporções. A produção de frutos que resulta do ato de permanecer é o exemplo clássico de um todo que é muito maior que a soma das partes.

A meta do devorador é interromper e enfraquecer o processo da eficiência profunda. O sucesso dele não depende da fraqueza moral do discípulo nem da perda da ortodoxia, embora ambas as ferramentas façam parte de seu arsenal. Podemos continuar entregues à causa de Cristo, sacrificáveis e santificados, nossa própria essência movida pelo evangelho, e mesmo assim nossa fertilidade pode apresentar perdas. Tudo que o demônio precisa fazer é nos atrair para que não permaneçamos em Cristo.

Para perpetrar isso, ele tão somente apela a nossas inclinações naturais à independência e à novidade.

Preferimos realizar tudo por conta própria, do nosso jeito, e, se precisarmos trabalhar em conjunto com alguém mais, preferiríamos encontrar um novo parceiro depois que a novidade perca o fascínio. Falta-nos a imaginação para ver como é possível redescobrir a novidade de maneira contínua na mesmice. Após alguns anos concentrados num relacionamento, supomos que conhecemos uma pessoa por completo, mas é claro que isso não é verdade. Isso seria impossível. Até um ser humano finito é dotado de profundidade e amplitude além do que conseguiríamos escavar no período de uma vida. Esfregamos o pano para polir a superfície tantas vezes que embotamos a pele sem jamais alcançar o que há por baixo. Embora sejamos seres multidimensionais, com frequência praticamos relacionamentos unidimensionais, porque somos preguiçosos por natureza e porque a novidade exige pouco esforço.

Se os seres humanos carregam mais profundidade do que conseguiríamos minerar durante uma vida inteira, quantas camadas a mais possui um Deus eterno e infinito? Passaríamos cada momento da vida neste mundo e na eternidade explorando as facetas de Deus, e nunca chegaríamos ao fim dele. É por isso que permanecer é uma missão de vida inteira. Contudo, algo tão maravilhosamente sobrenatural não nos vem com naturalidade.

Um dos elementos mais decisivos do ato de permanecer é uma curiosidade divina para descobrir mais sobre o caráter e a complexidade de Cristo. A curiosidade é a irmã bem mais nobre da novidade. A curiosidade invoca o estudo. Por definição, é "interesse que leva à investigação".[1] Ela não procura diamantes em folhas de grama; procura orvalho. Se estiver procurando diamantes, busca em minas. A curiosidade não é satisfeita ao se escalar uma colina e então seguir adiante. Para tomar emprestadas as palavras do Deuteronômio, ela extrai cobre dali (Dt 8.9).

Deus demonstra uma afinidade inegável pela revelação progressiva — removendo o véu centímetro a centímetro. Como mestre do esconde-esconde, ele adora disfarçar o sublime com o simples.

> Meu servo cresceu em sua presença,
> como tenro broto verde,
> como raiz em terra seca.
> Não havia nada de belo nem majestoso em sua aparência,
> nada que nos atraísse.
>
> Isaías 53.2

Essa profecia foi cumprida pelo "próprio Cristo. Nele estão escondidos todos os tesouros de sabedoria e conhecimento" (Cl 2.2-3).

Que típico do Mestre Divino do esconde-esconde ocultar por trinta e três anos a encarnação do tesouro infinito sob pele ordinária. Só Deus conseguiria esconder a beleza de Cristo. Não é de admirar que João, o discípulo amado, caiu como morto ao vislumbrar o Jesus imortal quando estava exilado em Patmos (Ap 1.17).

Você não precisa se preocupar com a possibilidade de que todo esse permanecer se prove tedioso. Não há como se acostumar com Jesus. Uma das melhores partes de permanecer em Cristo é se manter perto o bastante para captar um vislumbre daquilo que ele decidir revelar.

Permaneça em mim. Se estiver disposto, nunca parará de aprender.

Será que o que Deus mais aprecia sobre seu relacionamento conosco seja justamente aquilo que não apreciamos? Ele adora estar em nossa companhia, por mais que nos seja difícil compreender isso, e nos oferece sua companhia. Ele não precisava de discípulos. Poderia ter realizado cada tarefa que desejasse sem eles. Selecionou os discípulos para que estes tivessem "comunhão com ele" (Jo 13.8) e fossem "cooperadores de Deus" (2Co 6.1).

Deus também não necessita de nós. Ele poderia realizar tudo que deseja desde seu trono no céu. Ele nos *quer* com ele. Anseia por um relacionamento conosco. Enquanto Deus deseja o relacional, porém, os seres humanos tendem ao transacional. "Senhor, diga-me o que fazer e me dê o poder de fazê-lo. E permita que eu o faça." Pedimos ao Alfa e Ômega: "Forneça-me um plano de A a Z, e deixe que eu o implemente".

Esquecemos que ele veio para ser o Emanuel, Deus conosco.

Permaneça em mim. Trabalhe comigo.

+ + +

Há uma cena em 1Samuel 16 que adoro, pois ilustra de maneira quase humorística como Deus se reserva o direito de revelar sua liderança específica a seus servos no meio do caminho, em vez de tudo de uma vez, logo no início. A intenção é que prestemos atenção a ele — permaneçamos nele —, em vez de o acessarmos apenas por tempo suficiente para baixar os dados que desejamos e prosseguir com nossos negócios afastados de sua presença.

A cortina se abre em 1Samuel 16 para revelar o velho profeta lamentando o fracasso colossal de Saul, o primeiro rei de Israel. Quando trabalhamos de perto com alguém como supervisor ou mentor e essa pessoa comete erros audaciosos, é complicado esmiuçar o que deu errado. Ainda mais quando nos sentimos responsáveis pelo que ela se tornou.

Os próprios filhos de Samuel não demonstraram grande desempenho. Eram mentirosos e trapaceiros, aceitavam subornos para perverter a justiça. Foram, na realidade, os catalisadores que inflamaram uma revolta dos anciãos de Israel para exigir de Samuel não um mero juiz. Eles queriam um rei (1Sm 8). Às vezes, Deus cede a nossas exigências arrogantes e ataques de birra a fim de nos ensinar uma lição. Ele lhes forneceu um rei, sem dúvida.

Saul, filho de Quis, oferecia o pacote completo. Era jovem e rico, e, para que não imaginemos que as aparências significassem pouco para nossos ancestrais, "Saul era o jovem mais atraente de todo o Israel; era tão alto que os outros chegavam apenas a seus ombros" (1Sm 9.2).

E era um imbecil.

Quando chegou o momento de Saul ser proclamado rei publicamente, ninguém conseguia encontrá-lo. Esse detalhe da história é ouro puro: quando perguntaram ao Senhor onde Saul poderia estar, o Senhor respondeu, palavra por palavra: "Está escondido no meio da bagagem" (1Sm 10.22). Quem não daria os dentes caninos para ouvir o Senhor falar algo assim?

Certa vez, assisti a uma mulher num respeitável programa de variedades na televisão demonstrar o talento fascinante de fechar a si mesma dentro de uma mala com zíper — uma proeza que exigia manobras consideráveis. Isso foi antes da *hot yoga* entrar na moda. Por dias me perguntei o que a levou a tentar aquilo para início de conversa. O que levaria uma pessoa a pensar, do nada: *Acho que vou tentar me fechar numa mala com zíper?*

O QUE APRENDI COM AS VIDEIRAS

Esse é o tipo de coisa à qual me refiro quando digo que os seres humanos são multidimensionais. É impossível julgar pela superfície o que leva as pessoas a agirem como agem. A mulher possuía mais camadas do que a bagagem dela possuía compartimentos. O que levou um homem tão alto que os outros israelitas lhe chegavam apenas aos ombros a se agachar atrás da bagagem na hora de sua apresentação pública? O Homem Alto era um poço profundo. E esse é só o princípio da história dele. Antes que ela acabe, ele terá perdido a cabeça.

Samuel, filho de Ana, era um juiz honesto e um profeta fiel, e iria para o túmulo sem que isso se alterasse. Contudo, no início de 1Samuel 16, decerto ele se via consumido por pensamentos acerca dos dois filhos, Joel e Abias, além de pensamentos sobre Saul, o filho de Quis. O arrependimento devia lhe queimar o peito como ferro em brasa, marcando a pele. Talvez Samuel tivesse a sabedoria e os recursos necessários para evitar uma terceira falta que o levaria a ser expulso de campo, mas alguns de nós teriam encontrado uma oportunidade para desespero irresistível.

O Senhor disse a Samuel: "Você já lamentou o suficiente por Saul. Eu o rejeitei como rei de Israel. Agora, encha uma vasilha com óleo e vá a Belém. Procure um homem chamado Jessé, que vive ali, pois escolhi um dos filhos dele para ser rei".

"Como posso fazer isso?", perguntou Samuel. "Se Saul ficar sabendo, me matará."

O Senhor respondeu: "Leve um novilho com você e diga: 'Vim oferecer um sacrifício ao Senhor'. Convide Jessé para o sacrifício, e eu lhe mostrarei o que você deve fazer e qual dos filhos dele deve ungir para mim".

1Samuel 16.1-3

A intimidade entre Deus e Samuel nesta cena é eloquente tanto por seu padrão como por sua peculiaridade. Aparentemente, Samuel vivia em termos tão familiares com Deus que não apenas era capaz de discernir sua voz, mas estava disposto a apontar os furos no plano divino. O impasse foi resolvido quando Deus basicamente lhe ordenou: "Apenas dê o passo seguinte. Eu lhe mostrarei o que fazer depois".

Durante boa parte dessa caminhada com Deus, sentimos como se nossos olhos estivessem vendados. Certas estações são repletas de tantos acontecimentos aleatórios que decidimos que tudo é uma barafunda generalizada. Outras estações parecem orquestradas de forma tão evidente que os laços entre os acontecimentos lembram fitas tecidas em ouro. Desde o início, Deus orientou a caminhada da fé para que fosse relacional, não informacional. Este último sempre foi planejado para o bem do primeiro.

Queremos saltar com Deus; ele quer caminhar conosco. Caminhadas ocorrem passo a passo. Exigem paciência. Ritmo. A liderança direcional de Deus para nossa vida pessoal muitas vezes se desenrola em pontos de luz entre as sombras.

SEGUIR JESUS É ESTAR *ANCORADO A ELE* COMO SE ELE FOSSE OXIGÊNIO.

Ele assegura que a palavra dele é uma lâmpada para nossos pés, que nos oferece a garantia do direcionamento a curta distância quando ele diz: "Vá".

Samuel tinha um pouquinho mais que um caminho iluminado. Tinha um novilho. Não sei disso por experiência pessoal, mas suponho que não seja muito fácil viajar com um novilho. Para um corvo voando, a viagem de Ramá (onde Samuel estava) a Belém (onde Jessé vivia) equivalia a apenas uns dezoito quilômetros, com Jerusalém como ponto médio. Contudo, o companheiro de viagem de Samuel não era nenhum corvo. É possível imaginar o velho profeta ou se afeiçoando ao animal, ou tendo de suprimir o ímpeto de matar a criatura teimosa antes que chegassem até a terra de Jessé. É melhor não romantizar a obediência, em especial porque Samuel se foi há muito tempo, e hoje somos nós a percorrer a estrada que partiu de Ramá, propensos a transformar nosso animal sacrifical num bicho de estimação.

Examine bem e sem pressa as palavras de Deus a Samuel: "Eu lhe mostrarei o que você deve fazer".

De modo similar, ele comandou a Abraão: "Deixe sua terra natal [...] e vá à terra que eu lhe mostrarei" (Gn 12.1).

Senhor, por que não conta na hora da partida? Por que preciso esperar para que o Senhor me mostre para onde estou indo?

Porque mostrar exige a locomoção. Pressupõe a presença. Acompanhamento. Posso enviá-lo a qualquer lugar e não viajar com você, mas como eu lhe mostraria algo sem estar presente? Esse mesmo senso de conexão é exposto na revelação recebida pelo apóstolo João no exílio.

Então, quando olhei, vi uma porta aberta no céu, e a mesma voz que eu tinha ouvido antes falou comigo como um toque de trombeta. A voz disse: "Suba para cá, e eu lhe mostrarei o que acontecerá depois destas coisas".

Apocalipse 4.1

As interações de Deus com Moisés sugerem a mesma inclinação relacional: "Agora vá! Eu estarei com você quando falar e o instruirei a respeito do que deve dizer" (Êx 4.12). Examine as traduções formais desse versículo, e descobrirá termos semelhantes: *ensinar, instruir*. A frase mais previsível teria sido "eu lhe *ordenarei* o que deve dizer". Mas não é o que o texto diz. *Eu o instruirei.*

Por que a ênfase em ensinar em vez de ordenar? Porque ensinar exige a participação de dois. Requer interação. Onde não há interação, não há relacionamento. Todavia, não se engane — o arranjo relacional que Jesus apresentou aos discípulos ia muito além da interação, para a habitação:

Sim, eu sou a videira; vocês são os ramos. Quem permanece em mim, e eu nele, produz muito fruto. Pois, sem mim, vocês não podem fazer coisa alguma.

João 15.5

Ser um ramo da Videira verdadeira significa viver com Cristo, respirar com Cristo, levar o dia a dia com Cristo. É a consciência contínua da presença dele, mesmo quando não sentimos sua presença. Nossa vida se torna testemunha da comunhão com ele.

Adoro a maneira como o dr. Gary M. Burge explica o mistério do pertencer e como este vem à tona numa vida:

Cristianismo não diz respeito apenas a acreditar nas coisas certas (embora isso seja importante). Nem é somente uma questão de levar uma vida cristã (embora isso seja importante também). É necessário que a experiência cristã possua uma dimensão mística, espiritual, e não quantificável. Ser um discípulo significa ter o Pai, o Filho e o Espírito Santo vivendo em nós ([Jo] 14.23-26). Significa passar por uma experiência interior sobrenatural que é bem diferente de tudo que está disponível no mundo. É um modo de crer (doutrina) e um modo de viver (ética), mas esses são nutridos pela conexão vivificante com Jesus Cristo.[2]

Em outras palavras, seguir Jesus não se resume a um conjunto prescrito de regras ou de comportamentos. É estar ancorado a Jesus como se ele fosse oxigênio — é estar na presença dele em cada momento. Quando você está com alguém que ama, não importa o que esteja fazendo; o que é importante é fazê-lo juntos.

O mundo de hoje não se encontra endurecido numa exigência rígida de provas religiosas racionalistas como ocorreu em outra geração. É a experiência espiritual de boa-fé que autentica a verdade religiosa em nosso mundo, e é bem isso que Jesus descreve. Quais são os resultados desse tipo de vida? O fruto que Jesus espera dos ramos é, acima de tudo, o amor [...]. Esse despertar espiritual, esse encontro transformador nem sempre leva a sinais e poderes fantásticos (embora esses talvez venham, cf. [Jo] 14.12). Leva em especial a uma vida que revela aspectos da vida de Jesus correndo pelas veias.[3]

Percebeu? Permanecer leva de forma inevitável ao amor. Uma vida vivida em intimidade com Jesus é uma vida vivida em amor.

+ + +

Uma abundância de amor é possível apenas quando permanecemos nele. Não temos como realizar as obras de Cristo por meio da vontade humana ou por poderes terrenos; só conseguimos implementá-las com o coração em Cristo. Só produzimos frutos que provenham de seu Espírito. Quando você começar a se sentir sem vida nele, procure pelo torniquete interrompendo o fluxo da vida. Na maior parte das vezes, nós o encontraremos em laços terrenos que foram apertados com força demais.

Fomos criados para ter os amores e relacionamentos mais íntimos com outras pessoas, mas é possível nos enlaçarmos com tanta firmeza em torno deles que a força vital de Cristo seja reduzida a uma gota aleatória ocasional. A ironia é que os relacionamentos que priorizamos acima de Cristo acabam cortados da força vital que é capaz de levá-los a florir. Negar às pessoas o Cristo em você é negar um amor que rompe os limites estreitos de nosso coração natural.

De acordo com um comentarista bíblico, a palavra grega traduzida como "ramo" em João 15 "enfatiza as ideias de *ternura e flexibilidade*".[4]

Ternura.

Flexibilidade.

Às vezes, quando quero que um grupo de estudo bíblico se entusiasme bastante comigo a respeito da definição de uma palavra grega, Deus me sacode com lembretes de que alguns de nós estão tentando sobreviver a outro dia de um casamento difícil, um tratamento de quimioterapia, uma falência, um emprego intolerável, a criação de três filhos com menos de cinco anos, ou sobriedade após décadas de vício. Estamos em busca de auxílio e esperança muito mais que de uma definição grega.

Parte de permanecer com Cristo significa permanecer com os outros também. Estamos aqui para ajudar as pessoas em nome de Jesus. Isso parece elementar, como se nem precisasse ser explicitado, mas, de algum modo, preciso dizer isso a mim mesma o tempo todo. Quando sentimos que as pessoas estão prestes a nos levar a perder a cabeça por completo, estamos precisamente na posição correta para respirar fundo e fazer uma pausa momentânea. É chegada, então, a hora de ter em mente mais uma vez que as pessoas são o objetivo. Elas precisam de nossa ternura. Precisam de nossa flexibilidade. Talvez precisem apenas que nos sentemos junto delas, que permaneçamos com elas.

Sob o risco de simplificar demais a questão, talvez permanecer não exija uma análise profunda. Talvez só o que eu precise me perguntar neste momento é se ainda sou terna. Se ainda sou flexível. Às vezes, não demonstro nenhuma dessas qualidades. O ramo que se parte com facilidade está morto ou preso a um inverno que se passou há muito tempo.

Jesus é nosso lugar único de permanência, o *terroir* de cada ramo verdadeiro. A videira antiga, Israel, foi enraizada na terra, mas Jesus não pediu aos discípulos que se agarrassem à terra. Ele lhes pediu que se agarrassem a ele, mesmo enquanto partissem para os cantos mais remotos do mundo.

> Portanto, vão e façam discípulos de todas as nações, batizando-os em nome do Pai, do Filho e do Espírito Santo. Ensinem esses novos discípulos a obedecerem a todas as ordens que eu lhes dei. E lembrem-se disto: estou sempre com vocês, até o fim dos tempos.
>
> Mateus 28.19-20

Com Jesus, surgiram os ecos de um novo Gênesis:

> Sejam férteis e multipliquem-se.
>
> Gênesis 1.28

Permaneçam em mim.

João 15.4

Vão [… a] todas as nações.

Mateus 28.19

Permaneçam… e vão.

Jesus é nosso poder permanente em todas as nossas jornadas. Se você permanece enquanto segue caminho, talvez não saiba nem para onde está indo. Contudo, saiba que, onde quer que vá dar, ele o escoltará até lá.

10
Poda

Crescer pode parecer muito com encolher.

Às vezes, você não nota nenhum sinal de que Deus está ocupado tornando-o mais produtivo, pois o que parece bem mais evidente é que ele está determinado a matá-lo. Talvez o mistério seja solucionado mais cedo que o esperado por um aumento na colheita no período de um ano ou dois anos. Quando isso acontece, acenda a churrasqueira e celebre até não poder mais, pois, da próxima vez, o único jeito de saber que Deus não pretendia matá-lo é verificar, depois de muitos anos, que você ainda não morreu.

Seria de se imaginar que um ramo saberia se está ou não gerando bons frutos, mas o ramo decifra "bom" apenas em termos de quantidade. Para o ramo, quanto mais pesadas as uvas, melhor a colheita.

Não é assim que o lavrador encara a questão.

O lavrador tem um nome para lidar com a discrepância entre quantidade e qualidade: poda. Minha antipatia pelo termo *poda* precede qualquer conhecimento digno de crédito a respeito das brutais tesouras de poda da jardinagem básica. Resulta da minha aversão pela palavra *prune* e minha falta de imaturidade para dissociar seus sentidos distintos. Eis o problema: em inglês, *prune* significa tanto "podar" como "ameixa seca". Ameixas secas me lembram a velhice. A velhice me lembra que estou cambaleando à beira do precipício e talvez a meros segundos de trocar a água com gás por suco de ameixas secas.

Entretanto, esse é o termo que os jardineiros têm empregado por gerações e que o próprio Cristo, ao que parece, utiliza quando fala inglês. Fácil para ele, que nunca envelhece. Enfim, falemos da poda. Não há sentido nenhum em discutir com ele.

Nada é mais doloroso ao ramo do que a poda — e nada é mais irresponsável para o lavrador do que evitá-la.

+ + +

O período da poda ocorre em especial durante os meses de inverno, quando os ramos se mostram sem folhas e dormentes. O lavrador costuma sacar as tesouras de poda logo antes do abrolhamento, que dá a sensação de ser o pior momento possível para o ramo. A escolha desse momento poderia levar o ramo a crer que o jardineiro está ansioso para dar fim ao que já parece meio morto.

É claro que o ramo não poderia estar mais enganado. O ramo está muito bem vivo, e nunca estará mais pronto para a fecundidade do que assim que o inverno passar.

Sabemos como a videira se sente. Já passamos por isso — à beira de algo novo e maravilhoso, apenas para que amorteçam nosso amor sonhador, resfriem nossa paixão desperta e derrotem nossa vitória ainda em botão. Esse tipo de supressão parece injusto — até mesmo cruel.

Você vê os brotos se formarem. Estão ali bem diante de seus olhos. Você sente o gosto do progresso na ponta da língua. No entanto, logo antes de render frutos — quando a fé se torna a realidade vista — seu progresso acaba, de modo bem suspeito, aparentando mais um retrocesso.

Nesses momentos, você precisa confiar que tudo que Deus leva ao retrocesso tem a função de ajudá-lo a construir. Tudo que ele corta é para abrir espaço para o que ele acrescentar. Às vezes, é cedo demais para florescer por completo.

Vou deixar este assunto entre você e Jesus e não vou pretender fazer disso uma regra, mas acredito que, na maioria das vezes, só entendemos depois que esperar era o mais sábio a fazer. O botão era um vislumbre, não uma uva. Mas até um vislumbre é uma forma de visão.

O jardineiro que não sujeita os ramos à poda não está sendo misericordioso. Ele se comporta como um assassino — causando uma morte lenta, sem dúvida, mas garantida. Primeiro, matará a qualidade, depois o sabor e, por fim, o fruto em si. Trata-se de sufocação por superlotação, ou o que especialistas chamam de "cultivo excessivo".

> O cultivo excessivo num determinado ano reduz a fertilidade dos brotos no ano seguinte. Assim, a melhor maneira de garantir que as videiras produzam frutos suficientes ano após ano é podá-las da forma adequada ano após ano. [...] Uma videira não podada terá de dez a cem vezes o número necessário de brotos para uma boa colheita de uvas de qualidade. A videira se esforça para gerar quantidade, maximizando desse modo suas chances de reprodução. O vinicultor se esforça para obter qualidade, maximizando suas chances de produzir o *vin parfait*.[1]

Vivemos na era da estética, em que a beleza é uma das metas fundamentais. O propósito do ramo, porém, não é a beleza de uma tela de pintor — uma videira bem cuidada coberta de folhas e gotas de orvalho, filtrada pela luz da alvorada. Não, o propósito do ramo é o benefício, e seu benefício é encontrado na fertilidade. As tesouras de poda do jardineiro eliminam um futuro de inutilidade crescente.

A poda, segundo Jesus, é um sinal muito bom. Não é sinal apenas dos frutos futuros. É prova dos frutos passados.

> Todo ramo que, estando em mim, não dá fruto, [o lavrador] corta. Todo ramo que dá fruto, ele poda.
>
> João 15.2

O lavrador não se dá ao trabalho de podar os ramos que não geram frutos. Ele poda os que geram. Receber uma redução por uma produção impressionante é contraintuitivo para nós, mortais, ainda mais num mundo guiado pelas telas onde quanto maior o número de *bytes*, melhor é o produto. Deus, porém, não parece se importar se for mal compreendido. A determinação dele de nos fazer o bem não recua diante de acusações de que ele está nos fazendo mal. É raro que ele se defenda, pois não há ninguém acima dele para julgá-lo. Em vez disso, ele se contenta em replicar com a linguagem estrangeira das tesouras de poda em sílabas entrecortadas.

João 15 pinta o retrato de um lavrador meticuloso devotado ao nosso progresso:

Dá fruto (versículo 2).
Produz ainda mais (versículo 2).
Produz muitos frutos (versículo 8).

Ninguém perde. Como Cristo explica, aqui estão os benefícios da poda:

Traz grande glória a meu Pai (versículo 8).

O QUE APRENDI COM AS VIDEIRAS

Vocês demonstram que são meus discípulos de verdade (versículo 8).

Ficam repletos da minha alegria. Sim, sua alegria transbordará (versículo 11).

Talvez leve algum tempo para a alegria chegar em meio à poda, mas é inevitável. A fertilidade é sempre, por fim, a felicidade.

Deus, Criador do arbusto e da árvore, que plantou e arquitetou o Éden, conhece intimamente a saúde de cada ramo e o potencial de cada broto da videira. É verdade que "todo ramo que dá fruto, ele poda" (Jo 15.2), mas o modo como ele poda cada um é decidido por ele somente.

Ele controla a metáfora em João 15; a metáfora não o controla. Isso significa que ele sabe ser criativo com as tesouras. Todavia, digo-lhe o que Deus não é capaz de fazer: ele não consegue fazer o mal. Não tem como não ser amoroso, pois ele mesmo é amor. Sua bondade é inseparável de sua glória (Êx 33.18-19). Desse modo, você pode confiar, como confiou Davi, que verá a bondade do Senhor na terra dos vivos (Sl 27.13).

+ + +

Para alguns de nós, a poda começa cedo na vida; outros se mantêm relativamente intactos até décadas mais tarde. Nem toda perda é resultado de uma poda, mas a poda decerto se assemelha a uma perda. Também pode parecer como uma fratura relacional ou um fracasso, como uma fraqueza ou uma doença, pois envolve uma redução em alguma capacidade. Deus pode empregar tudo isso. Se permitirmos que as tesouras realizem seu trabalho, o propósito será sempre o mesmo: crescimento.

Na poda das videiras botânicas, porém, o processo tende a ser marcado por certa uniformidade. As videiras são podadas todos os anos nos meses mais frios. Passam de arbustos com múltiplos apêndices a varas esguias.

Deixe-me ilustrar a situação para você. Keith e eu compartilhamos de uma antiga afinidade por árvores de Natal bem largas. Tudo começou no início de nosso casamento, quando, a propósito, Keith era ajudante de encanador e esse tipo de despesa com o feriado era uma imprudência total. Eu culpo a família dele. A minha não tinha um centavo no fim de cada mês, por isso havia pouco a poupar para esses luxos. A família de Keith era dona de uma empresa de encanamento, e, como as pessoas apreciam uma descarga que funcione, os Moore podiam se dar ao luxo de uma árvore artificial com neve sintética.

Também culpo a família de Keith por adquirirmos nossa árvore corpulenta tão cedo no ano. Na minha infância no Arkansas, meu pai e meu avô partiam para a floresta, cortavam um pinheiro pequeno o bastante para que conseguissem carregar, e o levavam para casa ainda fresco — e era raro que isso ocorresse antes do meio de dezembro. Quando me mudei para Houston, no Texas, descobri que as pessoas lá imaginam que as árvores de Natal surgem por magia em lotes de concreto, pré-cortadas. E visto que, com o tempo, elas só se tornam ainda mais mortas, se você quer que uma única agulha do pinheiro sobreviva ao trajeto para casa, o correto é realizar sua compra no meio de novembro. Isso é, sem dúvida, uma tolice absoluta, mas eu também me tornei uma tola.

Quando chega 26 de dezembro, preciso me conter para não mandar alguém, pelo amor de Jesus, tirar aquela árvore da minha casa antes que eu risque um fósforo e a incinere, junto com todos os enfeites. Na véspera do Ano-novo, não dou a mínima se estou arruinando as memórias do primeiro Natal do bebê caçula da família. Tirem essa árvore daqui.

É nesse ponto que Keith e eu trabalhamos melhor. Estendemos o plástico pesado já pré-dobrado sob a árvore, buscamos duas tesouras de jardinagem, cortamos todos os ramos quase até o tronco e, com uma expressão convencida no rosto, os deixamos cair no plástico. Em seguida, apanhamos o que sobrou da árvore, que agora pesa o equivalente a uma caixa de palitos de dentes, e levamos tudo para onde todas as boas árvores de Natal vão quando se aposentam: para o meio-fio.

Imagine o tronco nu no meio-fio, e terá uma vaga ideia da aparência de uma videira depois de uma boa poda eficiente. A diferença é que a videira ainda está no solo, e, apesar da aparência, muito longe de estar morta.

A longevidade não beneficia muito as árvores de Natal pré-cortadas, mas a idade é, na verdade, um bônus quando se trata da fé. Desgastados pelo tempo, já aprendemos a essa altura como as estações costumam transcorrer, e como aquilo que talvez pareça uma morte cruel acaba se revelando uma cura peculiar. Deus nos aparou inúmeras vezes, e nos tornou férteis de novo — nem sempre da mesma maneira, mas sempre de alguma maneira. Aprendemos que a esterilidade, em termos espirituais, é opcional. É o fruto da falta de cooperação.

De acordo com minhas observações e experiência, os servos mais jovens correm um risco maior de que as tesouras lhes cortem o coração. Os dias iniciais da fé tendem a necessitar de medidas adicionais de poda a fim de preparar o ramo para ser o mais produtivo possível. Do mesmo modo, jardineiros experientes cortam literalmente as flores de videiras novas assim que os botões se formam.

Quaisquer florescências que surjam durante esses primeiros dois anos devem ser retiradas com tesouras de poda ou com as unhas. Esses são os anos em que o treinamento apropriado é muito mais importante do que qualquer pequena colheita de frutos que a videira consiga gerar. Uma vez que a colheita de frutos e o crescimento vegetativo competem pelos recursos da videira, permitir que os frutos se desenvolvam atrasará o treinamento, e você obterá menos frutos no longo prazo.[2]

Deus não poda todos conforme as mesmas regras exatas, mas cada ramo frutífero, sem exceção, passará por reduções. É o que Jesus afirma em João 15.2: "Todo ramo que dá fruto, ele poda, para que produza ainda mais".

Eis como o ciclo costuma transcorrer. A jovem vida despertada em Cristo é inocente e cheia de promessa. Os olhos estão cheios de idealismo. O coração cheio de paixão. Os ouvidos cheios de direcionamento. O rapaz sabe com exatidão para onde está indo. A moça sabe com precisão qual é sua vocação. Cada um parte em seu caminho e, bem no momento em que estavam prestes a florescer, a poda acontece. A vida se torna difícil. A afirmação decresce. A paixão esmaece. A inspiração murcha. O material não se materializa. A clareza se transforma em nebulosidade.

A primeira fase em geral envolve irritação com Deus. *O Senhor me guiou até aqui, depois me largou aqui. Ordenou que eu partisse, depois não cumpriu o prometido.* Não se surpreenda se tiver uma sensação irônica de haver se perdido bem quando imaginava ter encontrado o que procurava. Isso talvez seja em si uma forma de poda, lembrando-nos de que o que queremos de fato é Deus. Nem a chegada nem a conquista nos mantém satisfeitos. Só permanecer nos concede essa satisfação.

Deus nunca nos conclama a algo apenas para nos abandonar assim que chegamos. Ele trabalha o tempo todo, quer vejamos quer não qualquer sinal disso.

A segunda fase é a dúvida em nós mesmos. *Deus não me iludiu; eu iludi a mim mesmo. Inventei tudo e disse que foi Deus.* Com essa fase costuma surgir o constrangimento, pois, afinal, você contou a outras pessoas que havia sido chamado.

A verdade é que você foi chamado de fato, e o seu chamado é irrevogável. Esse obstáculo é para o bem de seu chamado, e não a despeito dele. A dificuldade é mais importante que a produção. Sem ela, você não seria capaz de organizar com fé o que oferece. Sem ela, seu produto poderia exceder o investimento e provar que você não passa de casca sem nenhuma polpa.

A terceira fase é o vale da decisão. É uma estação crítica, pois aqui você ou se retira para uma proximidade menos vulnerável, ou se apega mais a Jesus apesar da aparência da promessa abortada. Você continuará por perto para ser treinado? Essa se torna a pergunta crucial.

Às vezes, Deus está perto demais para que o enxerguemos. Perdemos a perspectiva de como ele vem trabalhando, até que,

ÀS VEZES, NOSSO *CRESCIMENTO*
RESULTA DO *ENCOLHIMENTO*.

meses ou anos mais tarde, nos tornamos capazes de dar um passo atrás e ganhar uma visão mais ampla.

Penso com frequência em Moisés implorando a Deus que lhe mostrasse sua glória. Deus sabia que Moisés não suportaria o que pedia, por isso lhe respondeu que ele o esconderia na abertura de uma rocha e o cobriria com a mão até que sua glória passasse.

> Depois, tirarei minha mão e você me verá pelas costas. Meu rosto, porém, ninguém poderá ver.
>
> Êxodo 33.23

Às vezes nos encontramos no escuro porque Deus está revelando algum aspecto de sua glória que é mais do que nossos olhos são capazes de suportar. A beleza na escuridão é que Deus está perto o bastante para nos cobrir com a mão. Muitas vezes, no fim de uma estação de intensidade tremenda, ele nos agracia com um vislumbre de suas costas. Ele nos fornece evidências suficientes de sua presença para que compreendamos que ele estava lá o tempo todo — não como espectador ou mesmo como mero protetor, mas como o Senhor de todas as coisas.

Talvez seja justo afirmar que Deus nunca se encontra tão próximo de nós do que durante o processo de poda. Ele não tem como não segurar o ramo quando pinça os botões com as unhas. Com Deus como jardineiro, a poda é sempre uma empreitada que exige as mãos na massa. Ele não pode nos soltar enquanto nos apara. Seus cuidados nunca são impessoais. Nunca é algo mecânico. Nunca é realizado pelo longo braço da lei.

O que a maioria de nós não esperava ao nos envolvermos com ele era que sua presença às vezes nos causasse dor. Esperávamos que sua presença a amainasse, e, para nosso grande alívio, é isso que costuma acontecer. Contudo, no que Isaías teria se transformado sem "Estou perdido! É o meu fim" (Is 6.5)? E quanto a Davi, sem o brado arrependido "Tu me quebraste; agora, permite que eu exulte outra vez" (Sl 51.8)? Ou Jó, sem "Ainda que Deus me mate, ele é minha única esperança" (Jó 13.15)? Essas desconstruções foram o que os construíram.

Esse talvez seja o nosso caso também. Deus apara uma videira produtiva apenas para aumentar sua produtividade. É por isso que crescer pode parecer muito com encolher.

+ + +

Muitos anos atrás, eu me sentia bem certa de que havia destroçado a maior parte de meu ministério. Mais preocupante ainda era a sensação estranha de que eu havia aceitado esse fato. *Você está deprimida*, eu disse a mim mesma. *Só isso*. E estava mesmo, mas isso não era tudo. Eu me sentia resignada. *Que assim seja*, pensei.

Alimentada por convicção pessoal, eu me tornaria cada vez mais franca, de uma maneira que geraria conflitos com uma população de opiniões categóricas no único mundo cristão que eu conhecia bem. No decorrer de quatro décadas, tive o prazer de servir de um extremo a outro do espectro denominacional, e em quase todos os pontos intermediários, mas o evangelismo é meu solo nativo. Relacionamentos de uma vida inteira foram semeados, criaram raízes e cresceram nesse rico húmus.

Sendo uma espécie de híbrida evangélica, nunca consegui escapar das controvérsias, mas, no início do outono de 2016, quando as primeiras folhas em nossas florestas deixavam os galhos, enfureci pessoas que durante anos haviam gostado de estudar as Escrituras comigo. Destruí algumas pontes importantes, desfiz alguns laços fortes e, nas palavras do salmista, me atraquei com "inimigos poderosos", inimigos "que me odiavam e eram fortes demais para mim" (Sl 18.17). A punição foi rápida e impiedosa, e as lágrimas, copiosas.

A ausência de arrependimento não garante de forma nenhuma a ausência de dor.

Com o passar das semanas, a realidade se revelou. O número de participantes nos eventos diminuiu. As encomendas diminuíram. Os lucros diminuíram. Os ânimos do ministério esmoreceram. Até aquele ponto, muitos de meus companheiros mais próximos de ministério e eu havíamos sido inseparáveis. Unidos. Agora, estávamos fraturados e dispersos e incertos quanto ao futuro.

Acreditando que nosso ministério seguia uma trajetória direta para algo pequeno, comecei a pensar pequeno. Não eram pensamentos desesperados. Afinal, há na miniatura uma beleza que se perde nas massas. Há muito tempo que meu desejo era abrir as portas de nosso ministério semanalmente entre meio-dia e uma da tarde para qualquer um que quisesse parar para orar, mas minha sugestão havia sido recusada por causa de preocupações com a segurança. Agora, eu estava determinada a reverter essa decisão. Anunciei que a data inicial seria em menos de um mês, junto com algumas reuniões para adoração sem alardes, onde eu ofereceria algumas palavras breves.

Sem donativos.

Sem lanchinhos.

Sem cafezinho.

Sem adornos.

Diríamos às pessoas onde encontrar o bebedouro e os toaletes. Chegaríamos naquela noite trajando o mesmo que vestimos para ir trabalhar de manhã. Proibiríamos telefones e gravações. Nós nos reuniríamos num santuário de dimensões medianas e não faríamos nenhuma tentativa de arrebanhar uma multidão. Manteríamos claro o foco na adoração e descomplicada a mensagem.

Assim tudo começou, e nos trouxe de volta à vida.

À união.

À simplicidade.

A alegrias numerosas o bastante para irritar o inferno.

Todas as terças-feiras, ao meio-dia, colocamos no meio-fio uma placa à moda antiga com os dizeres: "Precisa de oração?". E eis que há pessoas que precisam. Todas as semanas, mulheres entram no estacionamento, às vezes oito delas, às vezes dezoito. Estamos face a face de novo, pele contra pele. Sem barreiras. Sem intermediários.

Elas chegam com pedidos que vão desde "É meu aniversário e quero uma oração para um ano melhor" até "Estou morrendo de câncer renal no estágio IV". Escutamos com atenção ao que cada pessoa nos conta. Nós a abraçamos e a deixamos que chore, caso seja isso o necessário para que ela enuncie seu pedido. No entanto, na maioria das vezes, oramos, uma para cada ou duas para cada, e com fé suficiente para esperar que a pessoa retorne em alguma outra terça-feira e nos conte qual foi a resposta inusitada de Deus.

O que não esperávamos era que as pequenas coisas inspirassem grandes coisas, e que o ministério local nutrisse o ministério maior. A trajetória descendente foi refreada, e embora algumas das mulheres tenham cumprido a promessa de nunca mais baterem à porta de nossos eventos, outras que nunca havíamos visto entraram por ela com olhar de curiosidade. O velho foi transformado em algo estranhamente novo.

PODA

É claro que Deus não tinha nenhuma obrigação de gerar tanto crescimento por meio da poda, e, além disso, tudo que havia crescido de novo poderia murchar amanhã. Lembre-se de que o Lavrador busca a qualidade. Deus está de olho em nós quando nossa motivação para cooperarmos numa redução é retornar à grandeza. A ideia dele de fertilidade aumentada talvez nunca seja mensurável em termos humanos. Talvez seja uma questão de gosto, nas notas sutis de um cacho de uvas que nunca cresce mais do que um punho de mulher.

Para as catorze de nós que fazem parte do projeto Living Proof, o resultado de pensar em dimensões menores é saber que somos capazes de ser bem-sucedidas. É o Senhor que nos sustenta, como afirmou o salmista (Sl 18.18). Não os números. Não os rendimentos. Não o reconhecimento do público. Talvez consigamos sobreviver por anos como um time, ou talvez não. Caso não seja possível, sobreviveremos como indivíduos, com a ajuda do Senhor. Talvez recebamos um cheque uma vez por mês, mas, caso contrário, ofereceremos nossos serviços como voluntários em nossas igrejas e encontraremos outros empregos. Tudo que um servo requer é alguém para servir.

Enquanto você for capaz de atender às necessidades de alguém, ainda terá um propósito. Não é preciso muito para ser relevante. Só precisa de significado.

Seu crescimento resulta do encolhimento.

11
Treliça

Alguns anos atrás, depois que terminei minha palestra numa conferência, uma mulher veio até mim, segurando a filha pela mão. Com um olhar intenso, a mulher me disse:

— Beth, se você tiver um minuto, eu gostaria de lhe apresentar minha filha.

Adoro meninas de qualquer idade, mas sinto uma afeição especial por pré-adolescentes. Algo sobre como elas estão à beira de se tornarem mulheres me dá vontade de passar horas com elas, fazendo compras ou dividindo uma refeição em seu lugar favorito — qualquer lugar em que eu pudesse de algum modo transmitir minha mensagem, fosse por palavras ou ações, de que ser uma mulher de Deus é algo maravilhoso.

Quero que elas saibam que Jesus veste as mulheres com força e dignidade. Quero que saibam que a forma como o mundo nos trata às vezes não é um reflexo dele, nem é algo que ele aprova.

Eu me inclinei para a frente para falar com a menina, mas, antes que eu proferisse uma única palavra, a mãe acrescentou:

— Ela tem um histórico semelhante ao seu.

Uma faca me atravessou o coração, pois entendi de imediato o que ela queria dizer: aquela preciosa menina havia enfrentado algum tipo de abuso em sua jovem vida.

A filha olhou para mim e acenou com a cabeça com timidez.

Engoli em seco. Por mais que eu quisesse chorar por ela, lamentar por este mundo danificado em geral e por aquela criança querida em particular, eu sabia que não era isso que precisavam de mim.

Em nenhum momento ela afastou o olhar do meu, sem dúvida procurando em meu rosto como ela viria a se sentir sobre ela mesma. Foi um daqueles momentos em que sabemos que é necessário escolher as palavras com absoluta cautela. Ela precisava saber que era relevante. Que sua dor era relevante. Que havia esperança para ela. Que ela não iria apenas sobreviver, mas prosperar.

Por isso tomei seu rosto entre as mãos.

— Minha nossa, sinto muito — lamentei. — Mas você sabe o que isso significa?

Ela sacudiu a cabeça.

— Significa que você vai aprender a ser forte em Jesus de um modo que muitos outros não vão conseguir. Vai aprender quem você é nele e quão preciosa é para ele, pois pessoas como você e eu precisam fazer isso para ter um coração feliz e saudável. Passamos a conhecer Jesus de um jeito que algumas pessoas nunca tentariam conhecer. Alguém que estava muito errado fez com que nos sentíssemos muito pequenas, mas agora vamos aprender a nos tornarmos bem altas.

Minhas palavras não foram o suficiente, é claro.

A arena estava lotada e barulhenta, e não foi possível conversar com liberdade. No entanto, a sábia mãe me garantiu que a menina estava cercada de amor, de uma comunidade e de aconselhamento confiável.

Deus não promete que evitaremos o sofrimento ao segui-lo. Não promete que escaparemos de traumas, abusos, divórcios, doenças, dor ou morte. No entanto, ele promete um caminho para cima. Um caminho através. Ou um caminho para fora.

Se oferecermos a Deus aquilo pelo que passamos, em todo seu horror e feiura, e recebermos dele a oferta de redimir tudo que ocorreu, ele produzirá frutos a partir disso. Esse tem sido o aspecto mais curativo de minha recuperação pelo que passei quando criança. Essa é minha oração por aquela menininha preciosa. E minha oração por você também, caso tenha enfrentado algo similar.

+ + +

O lavrador estabelece um sistema de treinamento para sua videira, ou não é um lavrador de verdade. É aqui que a treliça entra em cena. Quando o caule de uma videira alcança em torno de trinta centímetros de altura, o lavrador a amarra a algum tipo de estaca. Se não fizer isso, todas as suas esperanças de uma colheita de qualidade serão arruinadas. A cada sete a dez centímetros a mais de crescimento vem mais um laço à estaca. O lavrador continua o processo com os brotos horizontais da videira, atando-os com firmeza e de forma estratégica aos fios da treliça.

Passeie por fileiras de qualquer vinhedo funcional, e notará que a postura de uma videira é consequência direta do aparato a que está atrelado. Basicamente, a maneira como é treinada é a maneira como crescerá. O aparato pode ser algo desde uma simples estaca até uma complexa treliça em arcada; mas, seja qual for a forma que apresente, a videira em crescimento necessita de suporte adequado. Os ramos não conseguem sozinhos sustentar o peso de sua imensa produtividade.

Além de fornecer os músculos para impedir que a videira caia, a treliça também oferece ao lavrador a estrutura para espalhar o dossel das uvas e mantê-lo desembaraçado enquanto cresce. Sem ela, partes da planta seriam intimidadas por ramos mais agressivos e forçadas a se ocultar nas sombras. Esses ramos mais frágeis careceriam da luz do sol e da circulação de que necessitam para prosperar.

Se o lavrador não assumir o controle, os ramos o farão. E se os ramos assumirem, a produtividade da videira decairá e o sabor delicioso da fruta não será aproveitado.

Madeira e laços. São essenciais para uma videira em crescimento.

Madeira e pregos. São essenciais para a Videira verdadeira.

"Eu sou a videira verdadeira, e meu Pai é o lavrador", declarou Jesus (Jo 15.1). Menos de 24 horas depois de proferir essas palavras, o Lavrador pregaria a Videira verdadeira no madeiro. Tudo isso fazia parte do plano eterno.

> Fazia parte do plano do SENHOR esmagá-lo
>> e causar-lhe dor.
> Quando, porém, sua vida for entregue como oferta pelo pecado,
>> ele terá muitos descendentes.
> Terá vida longa,
>> e o plano do SENHOR prosperará em suas mãos.
>
> Isaías 53.10

A salvação foi pregada, de uma vez por todas, naquele madeiro manchado de sangue. Nenhum outro sacrifício seria necessário para a remissão dos pecados.

> Quando ele vir tudo que resultar de sua angústia,
>> ficará satisfeito.
> E, por causa de tudo que meu servo justo passou,

> ele fará que muitos sejam considerados justos,
> pois levará sobre si os pecados deles.
>
> Isaías 53.11

A cruz de Cristo é nossa estaca no chão. É impossível movê-la. Não é negociável. Que outros se amarrem ao que bem desejarem, mas nós estamos atados à cruz. Não há como minimizar essa verdade. Nem há como mascará-la. Não existe evangelho sem ela. Nenhuma reconciliação com Deus. Nenhum sermão sobre a ressurreição na manhã de Páscoa. Se este planeta ainda existir no ano 4000, a igreja estará ainda atrelada à cruz, ou será a igreja dos perdidos.

Satanás é muitas coisas, mas não é muito criativo. Ele tende a se ater ao que funciona, e uma abordagem que vem lhe rendendo lucros desde o início é nossa baixa tolerância a nos sentirmos idiotas. Recorde os jardins luxuriantes do Éden e uma serpente esperta e manipuladora. "Como pôde acreditar nisso? Que tipo de imbecil você é?" Num sistema de mundo sob a influência invasiva do demônio, temos de fazer as pazes com o fato de que pareceremos tolos de vez em quando, ou a guerra dentro de nossa alma nos desmoralizará.

A mensagem da cruz é loucura para os que se encaminham para a destruição, mas para nós que estamos sendo salvos ela é o poder de Deus. Como dizem as Escrituras:

> "Destruirei a sabedoria dos sábios
> e rejeitarei a inteligência dos inteligentes".
>
> 1Coríntios 1.18-19

A cruz é nossa estaca no chão. No entanto, como a treliça, é também nosso sistema de treinamento. Não parece haver limites para o que nos dispomos a investir — tanto em termos de tempo quanto em dinheiro — em treinamentos de liderança ou emprego, treino atlético, treinamentos para pais, para ensinar as crianças a usar o penico e treino de cães, mas o treinamento para "vir e morrer" é mais difícil de vender. Contudo, esse continua a ser nosso único meio de encontrar a verdadeira vida — não apenas depois de abandonarmos este corpo temporal, mas aqui mesmo, neste momento. Neste mundo, nesta era, no próprio quarteirão em que moramos.

O caminho da cruz ensina o amor sacrifical a seres que, sem ele, se provariam egoístas, autocentrados, autólatras, que jamais obteriam o bastante de si mesmos para se satisfazerem. O treinamento incansável de nossa cultura em narcisismo não nos torna felizes; torna-nos miseráveis. O ser humano é tão cheio de si que vomita a si mesmo em todas as plataformas públicas. Não quebramos nossos espelhos, mas nossos espelhos nos quebraram, assim como a obsessão de Narciso com seu próprio reflexo acabou por destruí-lo. O caminho da cruz é doloroso, com certeza, mas é também um alívio peculiar. No longo prazo, o peso do ego humano desenfreado se torna uma carga mais pesada a se carregar do que uma cruz.

A *CRUZ DE CRISTO* É NOSSA
ESTACA NO CHÃO.

O QUE APRENDI COM AS VIDEIRAS

Para mortais que, por natureza, desejam ser sofisticados, espertos e estimados, Deus ofereceu um Salvador que "foi desprezado e rejeitado" (Is 53.3). Para uma raça humana que se sente atraída de modo insaciável à atratividade, Deus ofereceu um Salvador em cuja aparência "não havia nada de belo nem majestoso [...], nada que nos atraísse" (Is 53.2). Continuamos a procurar um caminho belo para uma vida bela, quando o único meio de encontrá-lo, pela vontade de Deus, é por uma cruz nada bela.

> Quanto a mim, que eu jamais me glorie em qualquer coisa, a não ser na cruz de nosso Senhor Jesus Cristo. Por causa dessa cruz meu interesse neste mundo foi crucificado, e o interesse do mundo em mim também morreu.
>
> Gálatas 6.14

Deus sabia que precisaria de uma cruz para nos crucificar ao mundo. A morte do Filho dele por incontáveis outros métodos carregaria menos estigma, menos humilhação, menos sujeira. Deus escolheu um método pelo qual não poderíamos manter nosso orgulho e, ao mesmo tempo, nossa salvação. A mensagem da cruz pregada com orgulho é igualmente absurda. Podemos até tentar, mas é tão incongruente quanto a armadura do rei Saul num jovem pastor com uma funda.

O sistema de treinamento da cruz enlaça os ramos da Videira verdadeira à humildade. Quanto mais orgulhosos formos, mais nos afastaremos dela.

+ + +

Sem uma treliça, a videira se dobraria sobre si mesma, permanecendo presa ao nível do chão. Sem uma treliça, os ramos nunca se esticariam em direção ao sol. E assim a treliça da cruz nos treina no caminho do perdão (Lc 23.33-35). Ergue nossa cabeça da sujeira e da lama e volta nosso rosto em direção ao Filho — o mesmo Filho que orou na cruz: "Pai, perdoa-lhes, pois não sabem o que fazem", enquanto estranhos o fitavam, governantes o ridicularizavam e soldados tiravam a sorte pelas roupas dele. Um cristão que não perdoa é a encarnação de um oximoro. Que Deus me ajude, pois já fui assim. Suponho que todos nós já tenhamos sido. A vida nos oferece diversas oportunidades para praticar a dicotomia.

Nem todas as vítimas de violência ou abuso sexual obtêm um pedido de desculpas do perpetrador. Eu obtive e, se você estiver se perguntando, não foi o bastante. Foi um pedido relutante, minimizador, breve e definitivo. Imagine algo na linha de "Pronto, já me desculpei. Agora esquece isso".

Eu perdoei — mas não porque o homem queria que eu o perdoasse. Perdoei porque esse é o caminho da cruz. Perdoei porque compreendi que aquele homem não fazia ideia do que havia feito, nenhuma ideia do que suas ações indizivelmente egoístas custaram a mim ou a qualquer outra que tenha sido sua vítima. Assim que esse pensamento me passou pela cabeça — *Ele não faz ideia* —, as palavras da cruz vieram logo a seguir: "Pai, perdoa-lhes, pois não sabem o que fazem" (Lc 23.34).

Não perdoei de imediato. Não perdoei em nenhum momento específico de que me lembre. Gostaria de poder dizer que foi assim. Perdoei com o tempo. Perdoei por meio do ensinamento, ao desenvolver uma atitude diferente, pela oração, e ao concordar com Jesus sobre o que fazer quando se é injustiçado.

Convenci-me cada vez mais de que aqueles que mais precisamos perdoar muitas vezes são os que menos compreendem o quanto nos feriram. Caso houvessem entendido e assumido a responsabilidade, não teria sido necessária a cruz para perdoá-los. Uma conversa acompanhada de um cafezinho teria bastado.

O caminho da cruz é o perdão — cru, sangrento e arfando por ar. É raro que siga gritos honestos de "Sinto muito!". É mais provável que seja cercado por sons de "Crucifiquem-no!".

Pai, eu lhes perdoo em nome de Cristo, pois não sabem o que fizeram.

É o tipo de palavras que ressoa por todo o trajeto até o fundo do abismo mais profundo. Aquilo que nos prende à cruz é justamente o que nos liberta da morte e do inferno.

Às vezes, quando treinamos para o perdão, o maior conflito reside em aceitar a ideia de perdoar a nós mesmos. Eu poderia listar diversas palavras sem nem pensar muito para descrever os efeitos que o molestamento durante minha infância tiveram em minha vida, mas meu vocabulário é pouco ou inexistente para descrever os efeitos de meus próprios pecados. Mesmo que as ofensas mais agonizantes tenham ocorrido décadas atrás, ainda mergulho meu rosto coberto de pústulas em Colossenses 2.13-15 como um andarilho no deserto morrendo de sede, após se arrastar sobre a barriga por quilômetros até uma nascente.

> Vocês estavam mortos por causa de seus pecados e da incircuncisão de sua natureza humana. Então Deus lhes deu vida com Cristo, pois perdoou todos os nossos pecados. Ele cancelou o registro de acusações contra nós, removendo-o e pregando-o na cruz. Desse modo, desarmou os governantes e as autoridades espirituais e os envergonhou publicamente ao vencê-los na cruz.
>
> Colossenses 2.13-15

Você notou nessas palavras o tom de vitória a agitar bandeiras e desafiar o demônio? *Perdoou todos os nossos pecados [...] cancelou o registro de acusações contra nós [...] pregando-o na cruz.* Se quisermos escalar a treliça do perdão, precisamos abraçar a verdade dessas palavras.

Uma das maneiras com que o inimigo de nossa alma deflete a vergonha que sentimos na cruz é nos manter tão soterrados em nossa própria vergonha que não percebemos isso. A tragédia é que colaboramos com o inimigo, como se este fosse mais crível do que Jesus.

Lembro-me de orar com uma mulher que me abordou num evento, desgrenhada e sob enorme agitação. "Não tomo um banho há semanas", admitiu ela, à beira da histeria. "Não sei o que há de errado comigo." As palavras lhe saíram num engasgo enquanto ela tentava secar os olhos que escorriam como um riacho.

Meu coração sangrou de compaixão quando se tornou claro que ela estava tão convencida de sua própria imundície que não se permitia se banhar. Só Deus sabe quantas vezes ela havia confessado os pecados, mas sem conseguir aceitar o perdão.

Conheço essa sensação. Eu sabia como é pensar que a graça de Deus é derramada em ondas incontáveis, encharcando a todos menos eu. A aversão a si próprio é uma ilusão convincente. Possui um talento fantástico para nos persuadir a nos identificarmos como a exceção a todas as graças.

As palavras escritas à pena inspirada de um discípulo amado discordam:

Mas, se confessamos nossos pecados, ele é fiel e justo para perdoar nossos pecados e nos purificar de toda injustiça.

1João 1.9

Purificar. Limpar. Tornar limpo.

Conversamos naquele dia, aquela mulher e eu, sobre o poder da cruz. Conversamos sobre acreditar na palavra de Deus acima da voz de nossa velha natureza autodestrutiva. Conversamos sobre aquele que "nos resgatou do poder das trevas e nos trouxe para o reino de seu Filho amado, que comprou nossa liberdade e perdoou nossos pecados" (Cl 1.13-14). Conversamos sobre como a dádiva da graça de Deus por meio de Jesus Cristo é inconcebivelmente maior que qualquer ofensa que venhamos a cometer (Rm 5.15).

Em seguida, oramos juntas. Eu a abracei com força e nos despedimos, e ela me contou mais tarde que havia voltado para casa para tomar um bom e longo banho. Não sou ingênua para crer que esse foi o fim da batalha para ela. No entanto, creio que tenha sido um começo. Um começo valente e poderoso. E não há fim para qualquer escravidão neste mundo sem um começo assim.

Não recomendei a ela que prometesse nunca retornar ao pecado e *depois* tomar banho. Vivi e estudei por tempo demais para ignorar o fato de que o comportamento está enraizado de forma intrínseca à crença. Enquanto ela se sentisse convencida de sua imundície, teria carecido dos recursos para perseverar até o próximo fim de semana solitário. Ela não precisava oferecer promessas a Deus a fim de se libertar. Precisava acreditar nas promessas que Deus havia feito a ela.

Perdoe, crente, porque você foi perdoado. Perdoe a si mesmo. Perdoe aos outros. Perdoe, pois aqueles que o devastaram não compreendem a profundidade dos próprios atos. Perdoe, porque esse é o caminho da cruz. Perdoe, porque essa é a paisagem montanhosa que leva um viajante cansado do mundo a se deter e fitar um vinhedo, ter sua curiosidade aguçada

TRELIÇA

e se ver capturado pela rara beleza de tudo aquilo. Venha e observe "as videiras estendidas nas treliças, os braços abertos em boas-vindas, ou, sob uma luz diferente, lembrando fileiras de crucificados".[1]

Esse é nosso treinamento. Nossa treliça. Quando os ramos permanecem na Videira, o perdão é desobstruído por completo. Flui com liberdade, tanto na vertical quanto na horizontal.

Bem-vindos, todos vocês, ao caminho da cruz.

PARTE IV

O fruto

Se o grão de trigo não for plantado na terra
e não morrer, ficará só.
Sua morte, porém, produzirá muitos novos grãos.

João 12.24

12
Solo

Tenho pensado bastante sobre o solo ultimamente, pois não faz muito tempo que enterramos o corpo sem vida de nossa tão amada cadela perdigueira.

Até apenas algumas gerações atrás, a morte era algo com que se lidava de um modo muito pessoal. As pessoas preparavam e vestiam o corpo dos membros falecidos da família, e depois o expunham na própria casa para o velório. Quando chegava a hora do enterro, elas ajudavam a cavar o túmulo dos entes queridos.

Qualquer outra maneira teria soado absurda para meus avós maternos, que viviam numa comunidade rural no Arkansas. Em três ocasiões distintas, eles perderam três filhos amados, um logo antes de completar seis anos, e os outros dois em torno de dois anos.

Temos uma fotografia de uma das crianças de dois anos, vestida com cuidado e bem aninhada no pequeno caixão de pinho, como se num berço. E embora a maioria das pessoas hoje julgasse essa fotografia mórbida ou perturbadora, nossa família a vê como algo sagrado.

Soube que, depois que Anthony morreu, minha avó, chorando, lembrou meu avô de que eles não possuíam uma única foto do filho para guardarem de recordação. Ele fez o que qualquer marido dedicado faria: buscou o homem mais próximo que fosse dono de uma câmera. A foto se encontrava entre os pertences mais queridos de minha avó até o dia em que ela faleceu, aos 87 anos.

Hoje em dia, tendemos a manter a morte — e a própria terra, aliás — a certa distância. Terceirizamos a morte e o enterro ao contratar funerárias e crematórios, quase como se imaginássemos que seria possível nos proteger ao não lhes permitir maior proximidade. Não estou de modo algum sugerindo que nossas formas de lidar com a morte estejam erradas (nem estou planejando ter um caixão em minha casa). Acontece que nossas formas de luto se transformaram bastante em poucas gerações.

Quer reconheçamos isso quer não, a morte, por desígnio de Deus, é parte do ciclo que, por fim, levará a uma nova vida. São os próprios elementos de decomposição no solo que o tornam rico e fértil para o crescimento. Como pregam as Escrituras: "Pois você foi feito do pó, e ao pó voltará" (Gn 3.19).

+ + +

Geli (pronuncia-se "djé-li") era uma braca alemã de pelo curto, com nove anos e meio de idade, que, ao crescer, nunca perdeu seu jeito travesso. Nós a adquirimos junto com uma *border collie* que recebeu o nome de Queen Esther [Rainha Ester] num intervalo de poucas semanas, quando as duas tinham dois meses de idade. Parecia uma boa ideia na época. Desde então, juramos nunca mais adotar dois filhotes ao mesmo tempo, pois, por mais adoráveis que sejam, os danos que causaram à nossa casa e ao quintal foram quase demoníacos.

Geli e Esther estavam com três anos quando abandonamos as cercas urbanas pela liberdade da mata, e elas não desperdiçaram um dia sequer. Coleiras eram itens opcionais, e as trelas foram esquecidas nas gavetas da despensa. As duas se queixavam de maneira irritante todas as manhãs até que eu terminasse minhas devoções, calçasse minhas botas à prova de picada de cobra, e escancarasse a porta. Geli disparava com suas pernas longas e flexíveis, enquanto minha rainha de pernas curtas corria bufando e arfando em seu encalço. Por seis anos, elas brincaram todos os dias naquela mata, arrastando a barriga em cada poça de lama, caçando bichinhos e rolando com entusiasmo em cada bocadinho de carniça.

Entretanto, a liberdade nunca é de graça, e ninguém pagou mais caro pela liberdade do que Geli. Ela foi picada por cobras em quatro ocasiões distintas, o que a abalou menos que ao nosso cartão de débito, pois ser mordida durante o horário regular de trabalho do veterinário parecia estar fora de questão. Perder um olho para um guaxinim num combate foi consideravelmente mais difícil de superar, mas ela o fez com valentia. No último ano de vida, ela havia perdido quase que por completo o uso da perna traseira direita para a artrite, mas, na visão de Geli pelo único olho que lhe restava, por que desacelerar quando se tem três pernas excelentes?

Num mundo ideal, donos sábios com um cão cada vez mais enfermo limitariam seu animal de estimação ao interior da casa e a um quintal cercado. O problema era que Geli preferiria engasgar até a morte na carcaça de um gambá a permanecer confinada. Então, pelo menos uma vez por dia, nosso bebê pegava a estrada e corria como um galgo inglês. Ela vivia para isso.

E foi por isso que ela acabou morrendo.

Keith estava fora da cidade certa manhã, nas entranhas do oeste do Texas, mas havia combinado de voltar para casa pelo fim da tarde. Antes do trabalho naquela manhã, Melissa e seu cão *weimaraner* se juntaram a mim e às minhas duas cachorras numa caminhada pela mata. Por causa das deficiências de Geli, para que os outros dois cães não trombassem com ela, era comum que eu a deixasse sair um pouco antes. Porém, quando acabamos nossa caminhada, ainda não havíamos nos encontrado com ela.

"Cadela danada", eu me queixei. "Ela vai me atrasar para o trabalho."

Passei as muitas horas seguintes caminhando por toda aquela mata. Mais tarde, verifiquei pelo celular que eu havia, durante aquele tempo, percorrido bem mais de nove quilômetros entre pinheiros, carvalhos e figueiras. Minha mão sangrava, arranhada pelas videiras grossas e teimosas. No entanto, não ouvi nada. Nem um latido.

Em torno de uma hora da tarde, uma ideia horrível me passou pela cabeça. Naquela manhã, vários minutos depois de iniciarmos a caminhada, Melissa e eu ouvimos sons horrendos e arrepiantes da direção de onde havíamos vindo. Uma cacofonia de uivos seguidos pelos ganidos de um único cão, tão alta e demorada que paramos no caminho, segurando uma à outra pelo braço. Eu sabia que algo terrível havia acontecido em algum lugar além de nossa propriedade. Senti pena pela pobre alma que era dona daquele cachorro sofredor e o amava.

Costumo saber quando sinto pena de mim mesma, mas não daquela vez. Nunca ocorreu a mim ou a Melissa que aqueles sons houvessem partido de Geli. Não poderíamos ter imaginado que ela teria ido tão longe tão rápido, e, afinal, todos que moram no campo têm cães. No entanto, às quatro e meia daquela tarde, meu mal estar era quase físico. Eu sabia lá no fundo que havia sido ela. Mesmo assim, caminhei e chamei por Geli, mas apenas num sussurro, pois, àquela altura, eu só conseguia chorar.

Keith me contou que chegaria em casa às cinco e quinze da tarde, mas não chegou. Quando telefonei, ele atendeu com alegria e expectativa.

— Encontrou meu cão?

— Não. Onde você está?

— A quinze minutos de casa.

— Keith, nem entre em casa. Encontre-me junto ao carro de golfe. Só teremos alguns minutos antes que escureça.

Às cinco e meia, ele estacionou na entrada da propriedade, e ambos entramos no velho carro de golfe, que era capaz de andar por trilhas na mata que nossos carros não conseguiam alcançar. Contei a ele o que havia escutado.

— Lizabeth — replicou ele. — Quero que me guie o mais próximo possível para o local onde escutou esse som. Confio na sua audição. Me leve até lá.

Indiquei que virasse à direita, atravessasse nossa pequena ponte e subisse uma clareira, tomando a direita de novo e descendo uma trilha estreita. Nesse momento, instruí:

— Pare. — Apontei para as videiras tão grossas que, contra a luz do pôr do sol, pareciam um muro negro coberto de cobras. — Ouvi o ganido vindo dali.

Keith abriu caminho pelas videiras, os espinhos lhe rasgando a pele nos braços. Quando ele chegou ao outro lado, vislumbrei algo branco.

— É ela?

— Não — respondeu ele. — Um veado.

Um veado-de-cauda-branca.

Keith retornou vários minutos mais tarde. Pouparei o leitor do que aconteceu nos instantes seguintes, confessando apenas que, ao cair da noite, aquela mata ouviu uma mulher chorar tão alto quanto um cão havia ganido ao raiar do dia.

Pelo que conseguimos elucidar dos acontecimentos, Geli havia se divertido perseguindo meia dúzia de veados pela mata e para dentro daquela propriedade. Então, deparou com o que acreditamos ter sido uma alcateia de coiotes.

Keith avistou primeiro as patas de Geli. O resto do corpo sem vida se encontrava coberto por folhas. Mesmo sabendo que ela estava morta, Keith murmurou a cada passo com que se aproximava:

— Obrigado, meu Deus. Obrigado, meu Deus.

Ele não é um homem muito religioso. Eu teria apostado que ele soltaria um jorro de palavrões. No entanto, sob a perspectiva dele, pelo menos não teríamos de nos perguntar onde ela estava ou imaginar aquela doce criatura, de bela pelagem branca com grandes manchas marrons, por aí, exposta às intempéries a noite toda. Tínhamos um minúsculo espaço de tempo para encontrá-la, e Deus garantiu que a encontraríamos.

Angelina "Geli" Moore, nossa perdigueira de nove anos com um olho e três pernas, estaria a salvo em nossa garagem, embrulhada em sua coberta macia durante a noite. E, na manhã seguinte, nós a enterraríamos.

+ + +

Nosso genro, Curtis, chegou cedo para ajudar Keith a cavar um túmulo profundo numa clareira sob o que chamamos de Pinheiro Inclinado. É nossa árvore favorita na propriedade, nodosa, com raízes profundas e um largo tronco. É tão alta quanto um prédio de quatro andares, com agulhas verdes vívidas com o dobro do comprimento dos seus dedos, mesmo no pior do inverno. Seria um pinheiro vencedor de prêmios, não fosse pelo pescoço esguio e a curvatura brusca à esquerda da cabeça de agulhas verdes. O Pinheiro Inclinado havia enfrentado muitas provações, pensávamos, e embora nunca houvesse se recuperado das consequências das intempéries que o arquearam, também se recusou a parar de crescer e prosperar. Keith e eu construímos a casa perto da árvore porque ela nos lembrava de nós mesmos — ainda um pouco mutilados, mas, na maior parte, vigorosos e livres de vergonha.

Eu gostaria de poder ir adiante sem lhes contar esta parte da história, mas minha narrativa não seria de modo nenhum tão honesta ou excêntrica sem ela. Keith e Curtis cavaram o túmulo junto aos dos predecessores de Geli e Queen Esther. Sim, exumamos seus ossos e os transferimos para nossa propriedade no campo. E daí? Não poderíamos deixá-los para estranhos. Se você necessita de um versículo de apoio, eu lhe apresento José, o filho favorito de Jacó, cujos ossos foram ensacados como bagagem e carregados, sem nenhuma vergonha, até a Terra Prometida quando o povo hebreu deixou o Egito. Não comentarei nem suprirei mais nada sobre o assunto.

O resto da família chegou cedo naquela tarde para o funeral informal. Keith me parecia ter mais de dois metros de altura naquele dia, os ombros tão largos e o rosto enrugado bem bronzeado e belo. Aquele era o cão perdigueiro dele, sua sombra constante, e ele sentiria a ausência mais que todos nós, mas ele nos guiou pelo sepultamento com a gentileza e sabedoria de um pastor. Não posso dizer que eu já havia visto isso nele antes.

Ele nos ofereceu a todos um sorriso amoroso e reconfortante, e ajoelhou-se ao lado do corpo de Geli. Ele o havia enrolado com carinho em um dos cobertores nos quais ela dormiu em todas as noites de sua vida, a salvo em nossa casa, não muito longe de nós. Como um pastor, o homem disse a todas as ovelhas: "Estamos aqui reunidos para confiar o corpo de nossa doce Geli à terra, demonstrar nossa gratidão por ela, e compartilhar nossas histórias favoritas sobre ela".

Assim, contamos nossas histórias. A maioria delas se referia a como ela era travessa, mas não é verdade que os melhores cães são também os piores? Conversamos sobre como ela era impossível de conter. Determinada. Aventureira. Hilária. Em seguida, Keith e eu a baixamos para dentro do buraco fundo e a depositamos lá com cuidado. Ele convidou quem quisesse participar a jogar alguns punhados de terra; em seguida, pousou as mãos nos quadris, virou-se para mim e admitiu:

— Acho que é só o que consigo fazer hoje.

— Querido, eu continuo a partir daqui — respondi.

Os homens se retiraram para dentro de casa com nossa neta de dois anos, Willa, para quem todo o drama passou despercebido.

"São as flores de aço", brincou Amanda, um termo afetuoso, baseado no filme famoso da década de 1980, que ela emprega para nosso grupo de quatro: Annabeth, a impetuosa filha de nove anos; Melissa, a irmã; a mãe; e ela mesma. Oferecemos afirmações verbais poéticas, apanhamos as pás e preenchemos cada colher de chá de espaço com a terra. A seguir, Annabeth e eu espalhamos pétalas multicoloridas de rosas em toda a volta. Essas ideias talvez soem como pérolas aos porcos. Que cada um faça o que precisar para expressar seu luto.

Ninguém escapou das lágrimas naquele dia, mas ninguém lamentou tanto quanto Queen Esther, que se sentou por perto, em respeito silencioso, vestindo seu costumeiro preto com um babador branco de pelos. Ao concluirmos nossa tarefa, nós quatro nos sentamos juntas em frente ao túmulo, com Queen entre Annabeth e eu. Nós duas a abraçamos, beijamos sua cabeça e a asseguramos de que ela sobreviveria porque cuidaríamos bem dela. Para que não nos confundíssemos, supondo que sentíamos o mesmo que ela, a *collie* se afastou de nós de imediato e se sentou diretamente sobre o túmulo de Geli, sozinha, com as costas voltadas para nós.

Que o leitor que acredita que nove anos foi tempo suficiente para ter um bom cão admita envergonhado que ele nunca teve um bom cão ou nunca amou um.

Sempre enterramos o corpo de nossos animais de estimação no solo quando eles não fazem mais uso dele. A prática não é uma questão de fé, mas de preferência, e devo admitir o privilégio de ter acesso a um lugar para isso. É difícil plantar uma margarida de 23 quilos no formato de um cão perdigueiro num canteiro de jardim — e arriscado, se seus planos não incluem permanecer por muito tempo na propriedade.

De algum modo, sempre contamos com um quintal nessas ocasiões, e, apesar dos inúmeros assuntos sobre os quais Keith e eu temos opiniões diferentes, nós nos sentimos exatamente da mesma maneira em relação a este: confiamos o corpo de nossos cães à terra, porque respeitamos o solo. Na verdade, preferiríamos que o mesmo protocolo fosse concedido ao nosso próprio corpo quando não o estivermos usando mais. Apenas cavem um buraco bem fundo no sopé de uma colina, reboquem-nos num quadriciclo até o topo, larguem-nos lá sem nenhum caixão, deem um bom empurrão e deixem-nos rolar até embaixo. Contudo, por favor, vistam-nos em trajes biodegradáveis — calças compridas de preferência em vez de túnicas religiosas, pois túnicas têm o hábito de nos subir pelas pernas ao rolarmos colina abaixo. Não vemos nenhuma necessidade de tornar nossa saída excessivamente memorável para aqueles generosos o bastante para se reunirem em nosso local final de descanso.

Entendo que tudo isso não passa de fantasia. Nossas filhas são sensíveis, e supomos que elas não compartilhem de nosso entusiasmo agrário. Mesmo assim, foi Deus mesmo quem originou essa ideia: "Com o suor do rosto você obterá alimento, até que volte à terra da qual foi formado. Pois você foi feito do pó, e ao pó voltará" (Gn 3.19).

O salmo 104 se refere de modo incisivo ao cuidado atento de Deus aos animais dos campos, e o descreve alimentando-os com a palma da mão. Quando chegar a hora, ele lhes retira o fôlego, e eles "morrem e voltam ao pó" (v. 29).

Reconheço que a ideia soa mórbida para a maioria, mas, para Keith e eu, algo nisso parece simplesmente certo. Aqueles nossos cães que adoravam correr por aí, agora imóveis, encontram-se semeados em nossas terras, nutrindo as raízes largas e profundas de um belo Pinheiro Inclinado.

+ + +

A colina de que Isaías falou poderia ter sido o local mais espetacular do mundo, com aspecto perfeito e estética magnífica. Poderia ter sido cercada por um muro de calcário reluzente e guardada a partir de uma grandiosa torre de calcário, sem economizar nas despesas. Contudo, se o solo não tivesse sido fértil, tudo teria sido fútil.

Meu amado tinha um vinhedo numa colina muito fértil.

Não é preciso ir além da definição dos dicionários para a palavra *fértil* para buscar provas de uma conexão entre o solo fértil e a produção de frutos. A definição primordial do termo poderia ser uma descrição das colinas da Toscana: "que possui alta capacidade produtiva, que produz muito; fecundo".

As outras definições incluem palavras similares, como *farto*, *frutuoso* e *apto a reproduzir-se*. Cada termo está enraizado como uma videira profunda no significado da palavra *fértil*.

A Nova Versão Transformadora não se atém a descrever como fértil a colina onde Deus plantou seu vinhedo. Ela afirma que a colina era *muito* fértil. O que constitui um solo muito fértil? Minha pesquisa me levou ainda mais fundo do que eu havia planejado. Se você for paciente, eu o levarei comigo, e, caso esteja disposto a tolerar algumas tecnicalidades, creio que valerá a pena.

Nas palavras do jornalista e autor Andrew Jefford: "Não há nenhum ramo da agricultura em que se ofereçam aos solos mais rapsódias e adoração do que na viticultura".[1] Os viticultores talvez tenham herdado, sem saber, o hábito de tecer rapsódias ao solo como pura consequência de terem sido feitos à imagem do Criador. Afinal, o solo é a linda pele escura e porosa deste corpo astronômico no qual giramos. Portanto, que a rapsódia se inicie.

Vamos fingir que você se inspirou a plantar algumas videiras de variedade comum num terreno próximo. Talvez o clima na sua região não seja perfeito, mas você ainda quer tentar, pois, francamente, você mora onde mora, e esse é o clima de que dispõe. Você escolheu um canto ensolarado com aspecto suficiente para drenar bem a terra, sem afogar a planta tenra. Pesquisou as variedades de uvas que tendem a ser mais clementes a neófitos bem-intencionados. Verificou se outros viticultores em sua região obtiveram sucesso pelo menos moderado. Está prestes a encomendar sua videira. O que fazer a seguir?

Pegue a pá e cave um buraco de muitos metros de profundidade, recolha uma amostra do solo num recipiente limpo, e envie-o para ser testado num laboratório (um serviço disponível na maioria dos países) ou utilize um *kit* para testá-lo você mesmo. Dê preferência ao primeiro método, não apenas porque a sorte de principiante é superestimada, mas porque você talvez aprecie conhecer o perfil de personalidade de seu solo. Pense nisso como um teste de Eneagrama do solo. Todo tipo de elementos interessantes se revelam na terra — características positivas que você vai querer acentuar, e negativas pelas quais vai querer aprender a navegar.

As especificidades talvez variem de acordo com onde você mora, mas é provável que seu solo seja greda — uma combinação de argila, silte, areia, pedras e matéria orgânica. Para ter a melhor chance de prosperar, as uvas prefeririam uma combinação de todos os itens acima.[2]

Ainda na adolescência, meu bom amigo Fred Billings se apaixonou pelo solo e pelo que permite às plantas crescerem. Foi o solo que o guiou, como uma velha caminhonete da Ford, direto à Universidade A&M do Texas, onde se formou em economia agrícola, com ênfase em comércio internacional. É por isso que convidei Fred a meu escritório, preparei uma câmera de vídeo e o entrevistei por várias horas sobre o solo. Não conheço muitas pessoas capazes de poetizar a terra por muito tempo, mas essa é a vocação e paixão dele.

Para Keith e eu, ele é o Fazendeiro Fred, e, na maioria das vezes, só Fazendeiro. É um homem brilhante, um pai e marido exemplar, mas o que há de melhor no Fazendeiro é que Jesus é o amor supremo de sua vida. Todas as outras paixões

SOLO

são vistas pelas lentes do Espírito. O que move o Fazendeiro não é apenas um fascínio pelo solo ou pelo que cresce nele de forma orgânica. Seu interesse em agricultura resulta, em última análise, de um fascínio pelo Deus que criou e projetou todo esse processo extraordinário. A busca do Fazendeiro, a que ele vem se dedicando por quase a vida toda, gerou dentro dele algo de que o mundo cada vez mais carece e que precisa redescobrir: arrebatamento.

Com 1,93 metros de altura, o Fazendeiro é uma figura imponente que, só com a força das mãos, poderia praticamente puxar um trator para fora de uma valeta. Ainda assim, seus olhos se enchem de lágrimas ao descrever as maravilhas de Deus que aguardam serem descobertas quando escavamos no mundo da agricultura. Isaías não é o único que carrega uma canção no coração quando se trata de rapsódias sobre o solo. Aqui está a revelação que ele compartilhou comigo sobre o herói esquecido que arrastamos para dentro de casa na sola de nossas botas, e que removemos, com irritação, ao limpar nossos pisos:

> O solo come, bebe e respira, assim como nós. O que ele come, também digere. Tudo isso ocorre por meio de um processo invisível, mas lhe digo isto: o topo da planta nunca mente.

A analogia deixou-me boquiaberta e de olhos arregalados. Cristo aludiu à mesma ideia empregando um vernáculo diferente ao informar os discípulos que estes seriam capazes de reconhecer uma árvore pelo fruto. Seria difícil exagerar o papel da produção de frutos na vida de um seguidor. Seria como o João da fábula infantil saltando com vara por sobre o gigantesco pé de feijão. Sempre que Jesus cataloga algo na categoria

ALGUMA VARIEDADE DE MORTE *SEMPRE PRECEDE* A VIDA NA RESSURREIÇÃO.

"traz grande glória a meu Pai" (Jo 15.8), trata-se de algo que deve ser mantido junto ao topo de nossa lista de prioridades.

Lembre-se, Jesus gosta de ver tudo crescer. Ele empregou diversas metáforas agrícolas em seus ensinamentos, em parte porque o crescimento é integral tanto para o aprendizado pessoal dos discípulos como para a propagação do evangelho, e também porque o mundo com quem ele falava era, na maior parte, agrário. Com poucas exceções, o sustento naquela época estava atrelado à terra ou ao mar. A arte da parábola é colocar o conhecido do lado do desconhecido a fim de tornar parte do desconhecido conhecido.

Na parábola do semeador, Jesus contou uma história a uma enorme multidão sobre um fazendeiro que saiu para espalhar suas sementes.

> "Enquanto espalhava as sementes pelo campo, algumas caíram à beira do caminho, onde foram pisadas, e as aves vieram e as comeram. Outras caíram entre as pedras e começaram a crescer, mas as plantas logo murcharam por falta de umidade. Outras sementes caíram entre os espinhos, que cresceram com elas e

SOLO

sufocaram os brotos. Ainda outras caíram em solo fértil e produziram uma colheita cem vezes maior que a quantidade semeada." Quando ele terminou de dizer isso, declarou: "Quem é capaz de ouvir, ouça com atenção!".

Lucas 8.5-8

A parábola é pura perfeição, com múltiplos níveis e atores. Talvez os discípulos temessem estar entre os incapazes de ouvir, pois perguntaram a Jesus o que a parábola significava. Foi uma manobra sábia, pois ele ofereceu a interpretação sem hesitar.

Este é o significado da parábola: As sementes são a palavra de Deus. As sementes que caíram à beira do caminho representam os que ouvem a mensagem, mas o diabo vem e a arranca do coração deles e os impede de crer e ser salvos. As sementes no solo rochoso representam os que ouvem a mensagem e a recebem com alegria. Uma vez, porém, que não têm raízes profundas, creem apenas por um tempo e depois desanimam quando enfrentam provações. As que caíram entre os espinhos representam outros que ouvem a mensagem, mas logo ela é sufocada pelas preocupações, riquezas e prazeres desta vida, de modo que nunca amadurecem. E as que caíram em solo fértil representam os que, com coração bom e receptivo, ouvem a mensagem, a aceitam e, com paciência, produzem uma grande colheita.

Lucas 8.11-15

Essa parábola ecoa a canção de Isaías a seu Amado. Ambos os relatos deixam claro que o que cresce necessita de solo — e não qualquer tipo de solo. Então, o que torna o solo fértil e, portanto, bom?

A resposta talvez o surpreenda. O solo de qualidade é uma combinação curiosa e irresistível de vida e morte. Tão vital é a morte para o solo que a vida não existe lá sem ela. A matéria em decomposição de plantas e animais é uma fonte essencial de nutrientes para sustentar a vida.

Apanhe uma colher de chá da gaveta da cozinha e cave uma colherada de solo saudável, e você terá em sua mão firme muitos milhões de microorganismos numa das combinações mais impressionantes de matéria viva conhecida pela humanidade. Segundo o Fazendeiro:

> Há diferentes tipos de microorganismos que vivem no solo, cada um com uma expectativa média de vida diferente. O máximo é cerca de doze horas. O mínimo é em torno de três minutos. Assim, eles vivem, trabalham, se multiplicam e morrem todos no espaço de doze horas, e a maioria dentro de vinte minutos.

Nem todos os organismos no solo são microscópicos — como qualquer criança de quatro anos adoraria comprovar ao mostrar a palma das mãozinhas sujas e fofas —, nem são isentos desse ciclo de vida e morte que torna a terra fértil. Como disse Robert E. White: "A vida no solo é uma batalha". Tudo, desde a mais minúscula bactéria, invisível ao olho humano, até os insetos e as minhocas, todos se alimentam de outros organismos, para depois se tornarem eles mesmos alimento para outras formas de vida.[3]

Todo tipo de coisa avessa às sensibilidades da etiqueta se tornam ingredientes para um solo fértil, inclusive coisas sujas, coisas que se contorcem, e coisas mortas.

Se você nunca houvesse aberto este livro, talvez tivesse ido para o túmulo sem saber a identidade do herói esquecido do solo fértil do vinhedo: as minhocas. Não sei como colocar isso de forma delicada, mas a contribuição primordial da minhoca para um solo fértil advém de sua parte traseira. "O solo [...] é misturado e depositado de forma mais uniforme nas fezes da minhoca." Quando as fezes secam, elas "aprimoram a estrutura do solo de maneira geral".[4]

Tendemos a pensar que, se fôssemos Deus, teríamos inventado métodos diferentes. No entanto, para a sorte de todos na terra, inclusive a nossa, não somos Deus. E, das profundezas de sua sabedoria inescrutável, ele desenvolveu suas próprias metodologias.

Se eu estivesse no comando, eu teria preferido ver vida no solo em que fui plantada, não morte — e, com certeza, nada de fezes de minhocas. A ideia de que a vida sozinha deveria abrir caminho para a vida faz todo o sentido do mundo à primeira vista. Entretanto, nós que estamos em Cristo somos mais sábios que isso. Sabemos que a vida eterna resultou da morte de Jesus. Ele mesmo afirmou: "Eu lhes digo a verdade: se o grão de trigo não for plantado na terra e não morrer, ficará só. Sua morte, porém, produzirá muitos novos grãos" (Jo 12.24).

Também sabemos que alguma variedade de morte precede a vida na ressurreição. É assim que a salvação funciona, mas é também como aqueles que são salvos crescem. Deus sabe que o solo mais fértil para cultivar algo de valor, qualquer coisa que produza frutos, é uma massa bem misturada, cheia de propósito, de vida e morte, de germinação e decomposição.

+ + +

A fim de apreciar apropriadamente o papel do solo fértil, vamos aproveitar o momento para nos observar dentro da metáfora. Você é uma planta do Senhor, e seu solo é uma mistura de elementos que ele está utilizando para que você seja cultivado em cooperação simbiótica com as necessidades absolutas de sol e chuva. Todos os tipos de condições estão sendo orquestradas acima de sua cabeça e sob seus pés a fim de aprimorar seu crescimento, e muito disso está além do que é visível a olho nu.

O elemento subterrâneo mais vital para qualquer planta é chamado rizosfera, "o cilindro de solo cercando a raiz de cada planta".[5] Nas palavras do Fazendeiro, é "onde a vida real ocorre. A rizosfera é a interface onde as raízes tocam o solo. Onde essa interface se conecta é onde toda a vida acontece".

No interesse de nossa metáfora atual, você, uma planta do Senhor, tem sua própria rizosfera. Está enraizado num cilindro de solo, e para que esse solo seja de terra boa e fértil onde você consiga florir, ele precisa ser composto de toda forma de matéria orgânica: baterias, algas, fungos, leveduras, protozoários, insetos, minhocas, e outros mais.

Imagine. Se você for plantado em solo bem rico, isso significa que nossa pequena colher de chá contém milhões de micróbios. Ela também apresenta ampla evidência tanto de vida como de morte. Em outras palavras, todo esse material é relevante. Até mesmo os finais indesejados. As perdas esmagadoras. Até mesmo a própria morte.

Não sei como seu solo se parece neste momento da vida, mas aposto que, a menos que você esteja entre as mais raras exceções, algo terrível lhe aconteceu em alguma circunstância ou outra. Se tiver idade e maturidade suficiente para chegar até esse ponto na vida, seu solo já possui múltiplos elementos que o tornam fértil — caso esteja disposto a permitir que Deus utilize essas partes caóticas para cultivá-lo, em vez de combatê-las como se fossem o mais monstruoso dos inimigos.

Jogada logo ao lado da vida efervescente em seu solo, reside a morte — pronta, humilde e disposta a enriquecer e expandir tudo que vive. Todo tipo de morte se torna húmus no chão da experiência humana.

Da *sua* experiência humana. Da minha.

Isso talvez signifique a morte de alguns sonhos. A morte de algumas esperanças. A morte de planos. A morte de certos relacionamentos. Talvez a morte do casamento de seus pais, ou do seu próprio. Talvez signifique a morte de uma amizade próxima. A morte do amor. A morte do romance. Talvez signifique a morte de um noivado ou de um compromisso firmado. A morte de uma oportunidade educacional. A morte de uma trajetória profissional. A morte de uma identidade. A morte de um projeto de longo prazo que não deu em nada. A morte de uma temporada de felicidade. A morte súbita da estabilidade.

Talvez você tenha presenciado a morte de uma igreja, quer a própria igreja saiba quer não que estava morta. Talvez você tenha enfrentado a morte da inocência ou do otimismo resoluto. Ou a morte das lembranças que um de seus pais tinha de você. Ou a morte de suas próprias memórias de outra pessoa. E às vezes, o pior de tudo, a morte física de alguém que você amava.

Não me diga que a morte ainda não faz parte de seu solo. Não vou acreditar. E aqui está a grande revelação: isso não vai matá-lo. Também não me matou. Pensei que mataria. Aposto que você também pensou. No entanto, cá estamos, você e eu, muito bem vivos. Quer você o desejasse, quer não.

Somos plantas do Senhor, em cilindros de solo já bem férteis. A questão remanescente — que não é pequena — não é se possuímos o necessário para gerarmos uma produção extraordinária, mas se estamos dispostos a expor nossas raízes tenras à estranha mistura de vida e morte que nos permite crescer.

Que função teríamos aqui neste mundo sem um pingo de morte em nosso solo? Que profundidade teríamos? Que

O QUE APRENDI COM AS VIDEIRAS

frutos? Que prova teríamos de nossa fé? Que evidência de perseverança? O que você tem a dizer a pessoas que enfrentam necessidades, sofrimentos, dúvidas, desespero? Como podemos ajudar aqueles que não sentem nada além da morte se nós mesmos não sabemos nada sobre a morte? Que vislumbre teríamos a oferecer do Salvador cuja morte nos concedeu a vida?

Assim, naqueles dias em que parece que Deus está em silêncio e você não tem nenhum resultado a mostrar de sua vida a não ser estrume e morte, saiba que até esses dias não são desperdiçados. Deus utiliza até as partes mais caóticas e mais dolorosas e, à primeira vista, sem esperança para aprontar o seu solo. Você, amado e escolhido por Deus, ainda vai gerar muitos frutos de qualidade.

13
Raízes

Quando eu estava com 23 anos e Keith com 24, recebemos um telefonema que dividiria para sempre a linha temporal da família Moore em dois períodos distintos: antes e depois.

Havíamos acabado de voltar para casa depois da igreja e de um almoço rápido numa pizzaria. Eu ninava Amanda antes de colocá-la no berço para uma soneca naquela tarde de domingo. Keith atendeu ao telefone e, depois de emitir um arrepiante "O que foi que você disse?", seus joelhos cederam diante de meus olhos.

Dois minutos mais tarde, nós três estávamos no carro, rumando em velocidade furiosa para um hospital no extremo oposto de Houston. A irmã dele, recém-casada e com a mesma idade que eu, sofrera um aneurisma cerebral, e não havia expectativa de que ela sobrevivesse. Chegamos a tempo de passar o resto do dia com ela, junto com os pais de Keith, duas outras irmãs e o jovem marido da irmã dele.

Nós a enterramos vários dias depois.

Eu havia me juntado à família apenas dois anos antes, mas me recordo com clareza de pensar que a vida nunca mais seria a mesma. A destruição dava a sensação de ser definitiva, como se jamais pudesse ser superada. A irmã de Keith era o segundo filho perdido pelos pais dele, que a adoravam. Eu estava certa de que isso acabaria com meus sogros.

Dias e meses longos e sombrios se seguiram. Creio que, na maioria das vezes, quando a luz retorna à nossa vida, ela se acende como num *dimmer*, não num interruptor. Não houve nenhum momento específico em que o interruptor de luz foi acionado. Um raio de luz penetrava sorrateiro, e nós nos amontoávamos, buscando o sol em nossos rostos antes que as trevas caíssem mais uma vez — e elas sempre caíam.

O pesar da família, como acontece para a maioria das pessoas, se apresentava em gradações de preto ao cinza. A vida nunca mais foi a mesma — nem poderia ser depois de uma perda dessas. No entanto, pela graça de Deus, o sol de fato saiu de trás das nuvens e, às vezes, aquecia o sangue em nossos ossos enregelados.

Voltamos a rir. Voltamos a celebrar ocasiões especiais. Demos as boas-vindas a novos membros da família, mimamos bebês e, aos poucos, retornamos à terra dos vivos. Redescobrimos como realizar atividades simples, como fazer compras, sem sentir que nossos pés desabariam sob nós antes que chegássemos à estante do leite.

Nunca a esquecemos. Nunca paramos de falar sobre ela. Entretanto, nossa família permaneceu intacta. Tivemos bons anos juntos, e nenhum deles teve seu valor subestimado.

+ + +

Em determinado ponto da história de Israel, a amada videira de Deus precisou ser assegurada de que, apesar da angústia do período por que passava, havia motivo para esperanças. Logo o povo reencontraria o equilíbrio.

Isaías 37 abre ao som de Ezequias, rei de Judá, rasgando suas roupas em profunda aflição por causa da invasão da Assíria. Senaqueribe, rei do império assírio, havia zombado de

Deus de forma audaciosa ameaçando seu povo com desastres em larga escala. Nesse contexto, Deus demonstrou piedade e tranquilizou Ezequias por intermédio do profeta Isaías, para depois lançar algumas ameaças de sua própria parte.

Permita-me parafrasear alguns destaques específicos da mensagem que Deus transmitiu ao rei assírio por meio de Isaías. Assim disse o Senhor:

Com quem você pensa que está falando? (Is 37.23).
Eu sei onde você mora (Is 37.28).

Deus então dirigiu palavras tocantes a Ezequias e ao povo de Judá:

Esta é a prova de que minhas palavras são verdadeiras:

Neste ano vocês comerão somente o que crescer por si,
    e no ano seguinte, o que brotar disso.
Mas, no terceiro ano, semeiem e colham,
    cuidem de suas videiras e comam de seus frutos.
Vocês que restarem em Judá,
    os que escaparem da destruição,
lançarão raízes em seu próprio solo,
    crescerão e darão frutos.
Pois um remanescente de meu povo sairá de Jerusalém,
    um grupo de sobreviventes partirá do monte Sião.
O zelo do Senhor dos Exércitos
    fará que isso aconteça!

Isaías 37.30-32

Em essência, Deus reassegurou seu povo com uma mensagem que consistia nisto: *do outro lado dessa catástrofe, vocês reencontrarão a normalidade.* As botas do gigantesco exército assírio haviam marchado por toda Judá, acampando em torno das cidades fortificadas, confinando os habitantes. Aos israelitas era concedido pouco ou nenhum acesso aos campos, e as lavouras que não fossem espoliadas por saqueadores eram arrasadas.

Pelo jeito, nada nem ninguém sobreviveria, mas como Deus recorda seu povo de modo implacável por meio das Escrituras: *Cuide para não julgar pelas aparências. Eu trabalho de formas que você não vê.*

Quando passamos por tempos difíceis, a melhor notícia de todas não seria que a vida simplesmente voltaria ao normal algum dia? Quando a estrutura de nossa existência diária se encontra desmantelada por completo e a paisagem em torno se torna cada vez mais irreconhecível, é raro que nosso anseio mais forte seja a prosperidade. O que desejamos é a normalidade. Não tendemos a pedir pela lua quando perdemos tudo que conhecemos. Só queremos algum aspecto de nossa velha vida de volta.

A dura verdade é que não há como retornar de verdade. Contudo, uma vez que nos levantemos de novo, é possível ir adiante. Deus, em sua fidelidade, garante que aquilo que pensávamos que seria o fim não é o fim de forma nenhuma. E, depois de algum tempo, talvez nem tão longo assim, compreendemos que realizamos a transição para um novo normal.

Dê uma olhada na cena cotidiana que Deus empregou para representar o retorno gradual dos remanescentes à normalidade em Isaías. Mesmo no rastro da devastação da Terra Prometida, Deus ainda se importava de forma intensa com o *terroir*, o senso de localização. Como muitas vezes ocorre com as referências bíblicas a vinhedos, a mensagem profética transmitida por Isaías é plena de significado tanto material como espiritual. Judá voltaria a plantar, crescer e colher fisicamente, mas não se deve supor que esses atos seriam o curso natural dos acontecimentos. Estava claro que deveriam ser entendidos como sinais de que Deus havia cumprido o que havia prometido.

Reencontrar o normal já indica, por si só, as impressões digitais do sobrenatural.

Mudanças indesejadas ocorrem. Crises acontecem. Catástrofes invadem nossos dias sem aviso. O inimigo chega para roubar, matar e destruir. Faz ameaças e cumpre algumas delas. Pelo que sugerem as aparências, o campo agradável que um dia havia nos cercado — cada vez mais agradável, em retrospecto — foi queimado e arrasado. Entretanto, Deus faz suas próprias ameaças, e nunca desperdiça o fôlego. Não importa se nossos arredores físicos algum dia voltem a se parecer com o que conhecíamos; se tivermos um tantinho de fôlego do nosso lado, conseguiremos gerar muitos frutos novamente.

Neste exato momento, essa promessa talvez não tenha muito significado. Você não quer um remanescente; quer todas as mesmas pessoas de volta. E, sejamos francos, você preferiria que todos voltassem à idade e às condições anteriores. Você não quer cultivar algo novo. Quer retornar à velha vida. Quer aqueles mesmos cachos de uvas, não cachos diferentes. Quer que tudo apresente precisamente o mesmo sabor do passado.

Eu entendo. Com o tempo, porém, reencontrar a fertilidade se provará mais importante do que você é capaz de imaginar. Se não for possível recuperar nosso estimado passado, pelo menos o futuro pode ser relevante. A maravilha de produzir frutos é que algo significativo provém das estações mais miseráveis. O que enfrentamos tem relevância.

"Esta é a prova."

A profecia foi feita a Judá, mas a noção da fidelidade de um Deus eterno a seu povo por todas as geração é de tirar o fôlego. No primeiro ano após uma catástrofe, talvez desejemos sobreviver com o pouco que há. No segundo ano, tentamos nos valer de migalhas e lembranças. No terceiro ano, contudo, é possível, por incrível que pareça, apanharmos a pá e começarmos a semear de novo. Eu deveria mencionar aqui que, para muitos de nós, um "ano" talvez não corresponda a doze meses. Esse calendário oferece apenas uma ilustração da passagem do tempo. Para olhos vendados pela dor, serve como uma fagulha de esperança de que algo — seja o que for — venha a ter significado mais uma vez.

Há algo que eu gostaria de esclarecer aqui antes de seguir adiante: tornar algo relevante não significa fazer com que valha a pena. Aceitar a distinção pode representar um profundo alívio.

Um dos maiores obstáculo para encontrar uma nova vida, uma nova produtividade e uma nova normalidade é o terror de se sentir forçado a decidir se aquilo por que passamos valeu o que conquistamos. Com sacrifícios menos custosos, chegar à conclusão de que algo "compensou" tende a ser mais fácil. Valeu a pena perder o emprego para manter suas convicções? Valeu a pena envidar esforços para reconstruir aquele relacionamento a fim de ter aquela pessoa de volta em sua vida? Embora você não sinta nenhuma vontade de enfrentar essas experiências de novo, é bem provável que seja capaz de oferecer uma resposta afirmativa: "Sim, valeu a pena".

Contudo, considere estas hipóteses: a organização sem fins lucrativos que resultou de sua tragédia pessoal compensou a tragédia em si? A habilidade de demonstrar empatia em relação a outros compensa pelas pessoas que você perdeu? Imagine esta pergunta apresentada a Jerry Sittser, autor de *A Grace Disguised: How the Soul Grows through Loss* [Graça disfarçada: Como a alma cresce em meio à perda]: "Jerry, ter ajudado todas as pessoas que você ajudou compensou a perda catastrófica de sua esposa, sua filha e sua mãe?". Quantos testemunhos seriam necessários? Cem? Mil? Dez mil? Tais pensamentos são absurdos, e essas perguntas, cruéis.

Sim, Cristo gera frutos a partir do sofrimento incalculável de seus seguidores. Entretanto, deste lado da eternidade, a questão não é fazer com que o sofrimento valha a pena. É fazer com que seja relevante. *Jesus* vale a pena. Vale a pena confiar nele. Vale a pena aguardá-lo. Vale a pena sair da cama por ele quando se deseja dormir e nunca mais acordar. Você talvez precise acreditar nisso por meio da fé até que a fé se torne a realidade vista.

É possível que sua vida produza frutos de novo. É isso que quero que você entenda. Nas palavras do profeta Isaías:

> Vocês que restarem em Judá,
> os que escaparem da destruição,
> lançarão raízes em seu próprio solo,
> crescerão e darão frutos.
>
> Isaías 37.31

A ordem é irreversível:
Lançarão raízes.
Darão frutos.
As raízes crescem para baixo para ascender em direção a Deus. Os frutos crescem para cima, mas apenas depois que as

raízes crescem para baixo. Não há atalhos. Nem isenções especiais. Nem exceções para pessoas excepcionais. Nem direitos especiais. Ah, por um tempo talvez pareça que essas coisas existam, mas uma planta com raízes rasas não sobreviverá ao teste do tempo.

Na parábola do semeador, Jesus descreve o que acontece quando as plantas não criam raízes. As pessoas podem acolher as palavras dele de braços abertos e com alegria arrebatadora, mas se não criam raízes elas "creem apenas por um tempo e depois desanimam quando enfrentam provações" (Lc 8.13).

O broto não dura sem a raiz.

+ + +

Em média, as raízes das videiras são mais profundas que as de plantas de dimensões comparáveis. Mergulham a profundidades de mais de seis metros. Se isso não lhe soa impressionante, dê uma olhada no teto acima de sua cabeça e estime a altura. Caso seja um teto típico de cerca de três metros de altura, duplique-o em sua mente e imagine as raízes de uma única videira cruzando essa distância.

A fim de gerar frutos para cima, criamos raízes para baixo. Como, porém, as raízes se mantêm ancoradas ao solo? Basicamente, as raízes precisam coletar água e nutrientes para que a planta se mantenha segura no solo. O mesmo se aplica a nós. Mesmo que seu solo seja bom, isso não lhe valerá de nada se suas raízes não estiverem seguras. Se não estivermos ancorados com firmeza, há pouca esperança de que o ramo dormente floresça na primavera.

Paulo descreve o nutriente essencial de que nossas raízes necessitam:

Da riqueza de sua glória, ele os fortaleça com poder interior por meio de seu Espírito. Então Cristo habitará em seu coração à medida que vocês confiarem nele. Suas raízes se aprofundarão em amor e os manterão fortes. Também peço que, como convém a todo o povo santo, vocês possam compreender a largura, o comprimento, a altura e a profundidade do amor de Cristo. Que vocês experimentem esse amor, ainda que seja grande demais para ser inteiramente compreendido. Então vocês serão preenchidos com toda a plenitude de vida e poder que vêm de Deus.

Efésios 3.14-19

O problema de ouvir algo repetidas vezes é que nossos ouvidos se tornam entorpecidos até que a notícia mais magnífica nos atinja com toda a mágica de um cardápio do McDonald's. Não importa se essa passagem de Efésios seja algo que você conhece há décadas ou uma nova revelação; creio que as palavras de Jesus afetam o entorpecimento de nossa audição e nos abrem os ouvidos (Mc 7.34). Passei a acreditar que o crescimento saudável e sustentável e a produção imensa de frutos partem de uma única fonte: saber que somos amados por Cristo de forma imensurável e imutável.

Quando essa verdade estiver mais enraizada que qualquer outra de nossas crenças, até mesmo a tempestade mais furiosa não será capaz de nos arrancar do chão. Nossas folhas talvez se esfiapem e nossos ramos se curvem, mas nossas raízes se manterão firmes.

Entretanto, não podemos supor apenas que nossas raízes se encontram ancoradas no local correto. Todo tipo de crenças conflitantes visam aquele ponto cobiçado. A fim de testar quais seriam alguns dos competidores, lancei as seguintes perguntas a indivíduos em dois grupos separados — minha equipe de ministério e o público de uma palestra.

Qual é a sua crença mais profunda?
O que, acima de tudo, você está mais convencido de que seja verdade?

Uma vez que tenhamos concordado em resistir à tentação de oferecer respostas formidáveis, eis uma amostra das respostas que recebi:

Este mundo vai matá-lo, por isso não pare de correr. Se o apanharem, você morre.

Sempre esteja pronto para pular. Não há tempo para relaxar. Um novo problema pode surgir a qualquer momento.

Deus sempre quer algo diferente do que eu quero. Caso eu queira algo de verdade, não será essa a vontade de Deus. Meu desejo gera a má sorte que me impede de ter o que quero.

Vive-se melhor a vida na surdina. Não se deixe notar. Mantenha tudo tranquilo. O segredo é a calma.

Se as pessoas não me notam, não sou viável. Invisível significa desimportante.

Sou responsável. Preciso manter tudo funcionando, ou tudo irá por água abaixo.

Preciso ser um sucesso para ser bem-sucedido.

Sou quase o bastante. Quem dera eu fosse capaz de ser mais, ou de realizar um pouquinho mais.

Não faço a outras pessoas perguntas que eu não esteja disposta a responder. A última resposta foi a minha por mais anos de minha vida do que eu gostaria de contar.

Cada um dos participantes nessa conversação tem um relacionamento ativo com Cristo, e poucos deles se mostraram inconscientes do compromisso que mantinham a uma falsa crença. Embora quisessem que o evangelho fosse a crença a que mais se apegassem, essas outras raízes pareciam entranhadas fundo demais para ser desenterradas. As falsas crenças haviam ocupado aquele espaço desde que se lembravam.

Outras respostas soavam espirituais o bastante para ser aceitáveis.

Amo a Deus. Sei disso melhor do que tudo.

Se cavarmos o suficiente, muitos de nós que servem a Deus descobririam que estamos mais profundamente convencidos de nosso amor por ele do que do amor dele por nós. Quando a vida nos arranca o amor, o que acontece?

A Bíblia é verdadeira. É nisso que acredito acima de tudo.

É, sim. Deus seja louvado, ela é verdadeira. Não há nada como ela. Entretanto, a Bíblia não é uma pessoa capaz de envolvê-lo com braços eternos quando você está em queda livre num precipício de desespero. Só Deus pode fazer isso.

NÃO É POSSÍVEL RECUPERARMOS
NOSSO PASSADO PRECIOSO, MAS, PELO
MENOS, O FUTURO *TEM RELEVÂNCIA*.

Permita-me compartilhar apenas mais uma convicção falha.

Acredito no amor. Acredito que o amor salva.

Sim, mas o amor de quem? Ou tem a ver com o amor em geral? A fé no amor pelo bem do amor é um vencedor universal nas redes sociais, mas é pateticamente impotente para ancorar uma pessoa durante um tremor básico, para não falar nada de um terremoto.

Digamos que a crença no amor não seja geral. Digamos que a parte mais profunda de seu sistema de crenças resida no amor da família ou, de forma mais específica, de um dos pais, do cônjuge, filho, irmão ou amigo.

É uma dádiva ser amado assim. Aprecie. Acolha. Floresça nesse amor. Retribua-o. O que acontece, porém, quando um pai envelhece? Ou quando um filho cresce? Ou quando um amigo se afasta? Ou quando o cônjuge morre?

Apenas um amor nunca desaparecerá. Apenas um amor se recusa a ceder ao fluxo e refluxo a despeito das condições. Há só uma coisa da qual "nem morte nem vida, nem anjos nem demônios, nem o que existe hoje nem o que virá no futuro, nem poderes, nem altura nem profundidade, nada, em toda a criação" conseguirá nos separar: o "amor de Deus revelado em Cristo Jesus, nosso Senhor" (Rm 8.38-39).

Não há nada de natural em plantar suas raízes no solo do conhecimento resoluto de que você é — de forma pessoal, imutável e incomensurável — amado por Deus. Foi o que Paulo estabeleceu no contexto imediato de Efésios 3:

> Suas raízes se aprofundarão em amor e os manterão fortes. Também peço que, como convém a todo o povo santo, vocês possam

compreender a largura, o comprimento, a altura e a profundidade do amor de Cristo. Que vocês experimentem esse amor, ainda que seja grande demais para ser inteiramente compreendido. Então vocês serão preenchidos com toda a plenitude de vida e poder que vêm de Deus.

Efésios 3.17-19

Não é normal acreditar em algo assim. Decerto não é normal que essa seja a crença à qual você mais se apegue. Essa crença é divina. É muscular. É proteína, não carboidrato. Requer força para "compreender a largura, o comprimento, a altura e a profundidade do amor de Cristo" e saber que este é "grande demais para ser inteiramente compreendido" (Ef 3.18-19). E se buscássemos a força pura para compreender a intensidade inconcebível com que somos amados? E se buscássemos esse amor como a maravilha que é de fato?

Essa força não é algo que passamos a possuir por conta própria; é uma força que "convém *a todo o povo santo*" (ênfase acrescentada). Precisamos de outros santos fortalecidos para nos lembrar que somos amados além de qualquer estimativa humana de largura, comprimento, altura e profundidade. Quando aqueles em nosso redor se esquecem, precisam de nossa força para lembrá-los dessa verdade.

A amnésia é a enfermidade inevitável daqueles que abandonam a comunidade. Não é por acidente que o chamado à santa lembrança nas Escrituras ocorre na maioria das vezes na congregação.[1]

Ainda estou no processo de me tornar profundamente enraizada e ancorada no amor de Cristo, mas, pela graça de Deus, estou me fortalecendo.

No ano passado, numa sessão de perguntas e respostas, uma moça me fez uma pergunta sobre a qual refleti uma centena de vezes desde então.

— Beth, qual é o nó em sua corda?

Eu nunca tinha ouvido essa pergunta antes. Sabia qual era minha resposta, mas me ocorreu que só em tempos bem recentes passei a conhecê-la.

— É João 15.9. Jesus disse: "Eu os amei como o Pai me amou".

Cristo nos ama como Deus o ama. Quando Cristo não for mais amado por Deus, você não será mais amado por Cristo.

Até então, você tem um nó em sua corda que nenhum demônio do inferno tem qualquer esperança de desatar.

14
Ar livre

Minha primeira impressão foi a de que Deus preferia lugares fechados. Bem, era mais do que isso. Eu imaginava que Deus era do tipo caseiro, e a escola dominical não me ajudou em nada a esclarecer essa questão, pois, pelo que me deu a entender, Deus passava o dia todo de roupão.

Nossa igreja era a casa de Deus — um fato que não poderia ser boa notícia para os metodistas e presbiterianos, que também se reuniam aos domingos, na mesma rua em que Deus vivia na Primeira Igreja Batista. Estar tão próximo, mas, ainda assim, tão longe, decerto servia só para esfregar sal na ferida.

Minha família de oito se apinhava em nossa Kombi azul e branca e visitava Deus na casa dele não menos do que três vezes por semana, e não me importo de dizer que o encontrei lá. A noção de que Deus não ia para casa conosco era uma suposição razoável, baseada em evidências circunstanciais que testemunhei por trás de nossas portas. Deduzi que ele permanecia no prédio da igreja a semana toda, espreitando e se demorando pelos corredores, como um fantasma, com lençol e tudo mais.

O batistério de nossa igreja, logo acima do balcão do coro, representava um mistério particular para mim, pois a cortina permanecia fechada na maior parte do tempo. Por anos, sempre que o pregador mencionava o véu no templo, eu o imaginava exatamente como a cortina bege de poliéster que pendia sobre o batistério. Com criatividade suficiente, sempre que alguém era batizado, eu visualizava a abertura mágica como o rasgo divino do véu em duas partes, de cima até embaixo.

Naqueles tempos, não éramos batizados diversas vezes, como acontece hoje. O dr. Reeves nos segurava sob a água por um bom tempo, falando algumas palavras à congregação em nosso nome. Emergir ofegantes das águas santas removia qualquer dúvida substancial de que havíamos sido elevados a uma nova vida. É claro, hoje sabemos que tudo isso ocorria numa banheira de água quente.

À questão "Haveremos de nos reunir junto ao rio, junto ao belo, belo rio?", proferida no antigo hino "Shall We Gather at the River?", nós, santos de outrora, respondíamos: "Não haveremos, não. Haveremos de nos reunir no santuário". E isso não era nenhum crime. A Bíblia anuncia uma história ilustre de Deus abençoando com glória as construções, e, de todo modo, batistérios internos oferecem água mais limpa. Nada é limpo junto ao rio com exceção do pecador disposto a mergulhar.

Jesus, o Filho sem pecado de Deus, vagou pelas margens barrentas do rio Jordão, a lama penetrando entre os dedos de seus pés. Ele talvez tenha até pisado em algum pedregulho afiado ao rumar em direção a um homem com água pela cintura. Esse homem vestia um traje de pelo de camelo amarrado por um cinto de couro.

Eram tempos estranhos. Pessoas haviam entrado e saído daquelas águas o dia inteiro, confessando e lavando pecados suficientes para afogar um peixe. Não há como saber o que havia naquelas águas depois de serem agitadas por uma massa de humanidade, mas lá foi Cristo, partindo as águas que

AR LIVRE

haviam levado à Terra Prometida, de forma bem sutil, com seu próprio corpo submerso.

Não tenho nada contra emergir das águas do batismo sob o santo raio cegante de uma lâmpada fluorescente. Ainda funciona. Afinal, trata-se de um trabalho do Espírito, não do ar. Ofereço apenas a observação elementar de que Jesus encostou as solas no leito lamacento do rio, e os cabelos nos girinos, e ergueu-se daquelas águas lodosas para o céu aberto. Ao emergir da água, ele viu o céu se abrir e o Espírito de Deus decolar de asas abertas, descendo como uma pomba diretamente até ele. Para um cara caseiro que passa a maior parte do tempo na igreja, ele com certeza apreciava o ar livre.

+ + +

A maioria das parábolas de Jesus nos envia para fora de casa e para dentro da natureza. Isso é bem apropriado, pois é do lado de fora que tudo cresce melhor. As parábolas interiores estão ali à mão nos santos arquivos, é claro. A mulher varrendo a casa, procurando a moeda perdida, entra nessa categoria, mas uma mulher de vassoura na mão evoca com mais facilidade a lembrança de minha avó nos ameaçando quando crianças: "Fora dessa casa antes que eu os ponha para trabalhar".

Ela apontava as cerdas da vassoura para nós e nos lançava um olhar duro como o aço, mirando o objeto como se fosse uma arma. "Eu disse: *fora!*" Ela fazia isso com uma carranca no rosto que nunca levávamos muito a sério. Partíamos em disparada, porém, como se ela fosse usar a vassoura para nos arrancar a pele dos traseiros ossudos.

A ideia de que Deus poderia ter aguardado até os dias de hoje para enviar seu Filho ao mundo é impensável por uma série de motivos, mas imagine o impacto que nossa cultura atual teria exercido em suas histórias. Se ele tivesse de criar exemplos a partir das situações cotidianas que vemos, a mulher teria varrido a internet procurando uma Bitcoin perdida.

Não sei que tipo de discussões foram travadas no conselho divino em relação à escolha do momento da Encarnação, mas não me importo de imaginar que, em algum lugar na lista de motivos para não esperar até o século 21, a ideia de utilizar parábolas encontradas nos quinze centímetros que separam o nariz do ser humano do celular deixou Jesus com arrepios.

Os primeiros discípulos não passavam os dias dentro de casa, em suas roupas de baixo, compartilhando o evangelho pela internet. Não estou dizendo que isso seja uma perda de tempo; não é. Quero dizer que, como rotina regular, seria um trágico desperdício da luz do sol durante o dia e das estrelas faiscantes à noite.

Em seu livro *The Art of the Commonplace* [A arte do lugar-comum], Wendell Berry escreve sobre como a apreciação pela natureza é evidente nas Escrituras:

> Não creio que se comente o suficiente como a Bíblia é um livro sobre a vida ao ar livre. É um "livro hipetro", como descreveu Thoreau — um livro aberto ao céu. É mais bem lido e compreendido quando ao ar livre, e quanto mais ao ar livre, melhor. Ou, pelo menos, essa foi a minha experiência. As passagens que, entre quatro paredes, soam improváveis ou inacreditáveis, ao ar livre soam naturais. Isso ocorre porque, ao ar livre, somos confrontados por maravilhas em todos os lugares; vemos que o miraculoso não é extraordinário, mas o estilo comum de existência. É nosso pão diário. Quem quer que tenha considerado de fato os lírios do campo ou os pássaros no céu, e ponderado a improbabilidade da existência desses seres neste mundo quente dentro das distâncias frias e vazias do espaço, dificilmente pestanejará diante da transformação

de água em vinho — que foi, afinal, um milagre bem pequeno. Esquecemos o milagre maior e em continuidade pelo qual a água (com o solo e a luz do sol) se transforma em uvas.[1]

Hipetro significa basicamente sem teto. Vivo com um homem que escolheria "sem teto" como seu cenário padrão sempre que possível. Travei uma batalha perdida com um homem hipetro por quase quarenta anos. Keith insiste que os melhores serviços religiosos a que já assistiu ocorreram quando ele trajava um macacão de pesca que lhe subia até o abdômen, numa pescaria em água salgada.

Em nossos primeiros dias de casamento, quando eu tinha mais energia para envergonhar os outros, eu lhe perguntava com sarcasmo que parte das Escrituras foram pregadas lá. Ele me respondia: "Sigam-me e eu farei de vocês pescadores". Quem de nós nunca abreviou um versículo da Bíblia para adaptá-lo a nossos interesses? Que esse atire a primeira pedra.

Keith conta com frequência uma história sobre como ele atravessou a baía com o bote a toda velocidade, a base de fibra de vidro se chocando contra as ondas agitadas. Uma tempestade ameaçadora se aproximava, e ele estava tentando chegar a águas mais amigáveis. Havia partido com o barco bem cedo naquela manhã para chegar antes que o sol nascesse a seu local predileto para pescar trutas. Aquela beleza preguiçosa deveria estar desperta àquela altura, mas, em vez disso, uma tempestade surgiu do nada. A eletricidade preencheu o ar à medida que gotas de chuva lhe atingiram o rosto com a força de projéteis. Um grupo de nuvens pesadas e furiosas brotou no horizonte, pulsando com clarões. De repente, o centro se abriu, como se Deus houvesse, num cutucão, criado uma brecha que as perpassava, disparando filetes de luz solar como os raios de uma roda.

É nesse momento que Keith descreve o duplo arco-íris que, por uma questão de segundos, formou círculos em torno do buraco. A história dele nunca mudou, e ele não é dado a exageros, mesmo quando penso que alguma história se beneficiaria deles. Em especial, ele não gosta de soar como um tolo. Portanto, se é isso que ele relata ter visto, foi isso que ele viu.

Ele também conta que parou o barco por completo e, embora este sacudisse de forma imprudente com o fustigar das ondas, ele manteve as mãos erguidas no ar. "Para que ele me levasse de uma vez", explica Keith sempre que conta essa história. Ele faz uma pausa nesse momento, visualizando toda a cena em sua cabeça, e então completa o raciocínio. "Pensei que era o Arrebatamento."

Algo assim não lhe acontece na sala de estar enquanto você janta comida requentada e assiste à quinta temporada de não sei que série de TV. É algo que acontece quando não há teto. Certos tipos de milagres estão reservados para as catedrais abertas. Só acontecem *lá fora*, em meio à natureza.

Lá fora, nós nos vemos sob as estrelas que Deus chama pelo nome, e nos sentimos pequenos diante da extensão dos céus. Em assombro, sussurramos: "Quem são os simples mortais, para que penses neles? Quem são os seres humanos, para que com eles te importes?" (Sl 8.4). Só então conseguiremos aceitar a maravilha das palavras que se seguem: "E, no entanto, os fizeste apenas um pouco menores que Deus e os coroaste de glória e honra" (Sl 8.5).

Lá fora, descobrimos que a fragrância da chuva não é o nome de um aromatizante de ambientes. No contexto da criação de Deus, nossas teorias não testadas se tornam absurdos, e os seis passos para o sucesso que ensinamos em seminários fracassam. Até mesmo aquilo que sabemos ser verdadeiro nós compartilhamos com humildade, pois reconhecemos que todos compartilhamos a mesma humanidade. Somos todos vulneráveis e não isolados.

Lá fora, a areia e as pedras são as duas únicas opções com as quais podemos construir nossa vida. E nosso Criador se recusa a nos forçar a escolher a pedra. Lá fora, a enchente sobe e o vento bate sem piedade contra nós. Lá fora, plantamos as sementes e depois fitamos por dias o chão nu, indagando se algo brotará e se alguns dias secos já são sinais de aridez. Lá fora, não conseguimos sempre diferenciar o trigo do joio. Lá fora, sentimos a fome e a sede por algo real, algo inteiro — algo que, em ambientes fechados, é entorpecido pelo refrigerante e pelos folhados de queijo.

Lá fora, somos surrados e assaltados, largados à beira da estrada. Lá fora, somos preteridos e abandonados à morte por pessoas que esperávamos que nos ajudariam. Em vez disso, para nosso grande espanto, descobrimos um bom vizinho em alguém que imaginávamos ser um inimigo. Lá fora, temos uma visão desobstruída do horizonte, onde conseguimos avistar as silhuetas dos pródigos voltando para casa. Lá fora, sentimos o cheiro das ovelhas antes de as vermos. Sentimos a luz do sol depois de uma noite fria e escura. Lá fora, descobrimos tesouros escondidos num campo em vez de no cofre de um banco. Lá fora, vemos cruzes sendo carregadas pela terra em vez de penduradas em santuários.

Quando estamos do lado de fora, expostos à natureza, somos lembrados do quão pouco temos de fato sob nosso controle. Somos atingidos mais uma vez pela revelação de que não somos tão autossuficientes quanto acreditávamos. É algo ao mesmo tempo redutor e engrandecedor. Sentimos nossa pequenez e a vastidão de Deus. Não é que sejamos capazes de lidar com

O QUE APRENDI COM AS VIDEIRAS

nossos desafios em ambientes fechados; é que é mais fácil acreditar em nossas ilusões de controle. Também é mais fácil nos adaptarmos à luz artificial. Na natureza, onde nos sentimos tão pequenos, nossa significância não encolhe. Ela incha. É esse mesmo Deus cujos olhos passam por toda a terra para fortalecer o coração dos que se dedicam a ele (2Cr 16.9). É esse mesmo Deus que planta raízes nos campos, não nos assoalhos.

O que estou tentando dizer é que videiras não crescem bem em terrários.

+ + +

Muitos entre nós se tornaram reclusos — isolando-nos a fim de nos proteger das pessoas desprotegidas e de suas adversidades incessantes, que não deveriam ser problema nosso. Nossa riqueza, relativamente falando, nos valeu o luxo da evasão. Apenas um tolo cego daria um caráter romântico à pobreza, e não farei nada do gênero, mas alguém que dá um caráter romântico à prosperidade é ainda mais tolo.

Só Deus sabe o que nossas riquezas roubaram de nós. O resultado natural do aumento da autossuficiência é a diminuição da confiança em Deus. Por que você precisaria de Deus se está se dando tão bem por conta própria? No *playground* do privilégio, a intimidade com o divino desce pelo liso escorregador de alumínio da autossuficiência.

Tentar encontrar segurança em nós mesmos é uma tarefa frágil e, na maior parte do tempo, pura ilusão. Ao encararmos uma crise considerável, os tijolos da casa que construímos desmoronam como palitos de dente. Lá estamos de novo, como a maioria das pessoas no mundo, vulneráveis às intempéries.

Não é por coincidência que é aqui que nossa melhor produtividade ocorre. É aqui que vivemos, ouvimos, observamos e compartilhamos o evangelho de verdade — como aqueles que acreditam e sobrevivem nele. É aqui que somos críveis para os que não acreditam. Até chegarmos a esse ponto, a maior parte de nosso papo não passa de ruído.

Abomino as crises, e nisso não sou diferente de qualquer outra pessoa. Não quero uma crise. Não peço por uma. Entretanto, estamos falando de sermos imensamente férteis, e videiras férteis não são plantas caseiras. Que não reste nenhum mal-entendido: a produção abundante de frutos não depende de crises. Depende de Cristo. Contudo, é raro o seguidor que, quando tudo corre tranquilo, resiste por tempo indeterminado à tentação da independência e não cede à calmaria.

O fato é que a beleza real é encontrada sob o mesmo céu que a vulnerabilidade. Não estou sugerindo que não morreremos lá fora — é possível que aconteça. No entanto, é quase certo que morreremos se permanecermos dentro de casa para sempre. Depois de tempo suficiente sob a luz artificial, dentro de paredes insuladas, nossos frutos secarão e nossos ramos murcharão. A água da torneira simplesmente não se compara à sensação da chuva em nosso rosto. Ouvir o vento é um parco substituto para senti-lo açoitando nossos cabelos. Feche-se à

A BELEZA REAL É ENCONTRADA SOB O
MESMO CÉU QUE A *VULNERABILIDADE.*

dor da exposição, e também sentirá falta do pôr do sol, quando os tons alaranjados se tornam púrpura e restauram a alma dos mortais exauridos. Quando nos isolamos demais, estamos nos protegendo de nossas vocações.

Elias de Tisbe tentou se isolar. Viveu a vida inteira em meio à natureza. Viu o fogo cair do céu. Viu Baal ser mutilado e humilhado. Viu o filho morto da viúva voltar à vida. Bebeu de um riacho e foi alimentado por corvos. Viu uma seca começar e terminar como resultado de sua súplica ao céu. E correu mais rápido que uma carruagem ao avistar uma nuvem do tamanho de um punho.[2]

Então, ocorreu o inesperado. O triunfante homem de Tisbe foi alvo das ameaças venenosas da sanguinária Jezebel. Ele fugiu para o deserto e orou pela morte. Felizmente, Deus sabe quais orações são mais bem atendidas com um categórico "não". O homem de Deus viajou por "quarenta dias e quarenta noites até o monte Sinai, o monte de Deus. Ali encontrou uma caverna onde passou a noite" (1Rs 19.8-9).

É uma noção comparável a um alpinista de primeira classe chegando ao sopé do monte Everest e se fechando sozinho numa tenda numa crise de mal humor.

Também conhecido como monte Horebe, o monte Sinai era uma espécie de monumento nacional. Nos tempos de Moisés, foi lá que o Senhor desceu, sua glória envolvida numa densa nuvem. Foi lá que o fogo do Senhor chamejou, que o raio caiu, que o trovão retumbou, e uma trombeta invisível ressoou. Elias chegou ao Sinai, *o* monte de Deus. Não era um local onde as pessoas demonstravam mau humor. Era o local onde as pessoas estremeciam. Não se viaja por quarenta dias e quarenta noites para o monte de Deus para então se esconder numa caverna.

Já lhe aconteceu de ter enfrentado uma quantidade enorme de dificuldades a fim de ir ao encontro de Deus para então, ao chegar lá, fazer de tudo menos se encontrar de fato com ele? E, depois de se envolver em tantas distrações, concluir que foi Deus que não compareceu ao encontro?

Eu também.

> Então o Senhor lhe disse: "O que você faz aqui, Elias?".
>
> Ele respondeu: "Tenho servido com zelo ao Senhor, o Deus dos Exércitos. Contudo, os israelitas quebraram a aliança contigo, derrubaram teus altares e mataram todos os teus profetas. Sou o único que restou, e agora também procuram me matar".
>
> "Saia e ponha-se diante de mim no monte", disse o Senhor.
>
> 1Reis 19.9-11

Saia e ponha-se diante de mim no monte. Nada de teto.

Não há como se esconder do Deus que se cobre em trajes de luz. Ele é o motivo pelo qual você veio, e você sabe disso. Ele é aquele com quem você está furioso, e você sabe disso. Ele é aquele que você, de algum modo, tanto quer como não quer. E você sabe disso.

> E, enquanto Elias estava ali, o Senhor passou, e um forte vendaval atingiu o monte. Era tão intenso que as pedras se soltavam do monte diante do Senhor, mas o Senhor não estava no vento. Depois do vento houve um terremoto, mas o Senhor não estava no terremoto. Depois do terremoto houve fogo, mas o Senhor não estava no fogo. E, depois do fogo, veio um suave sussurro.
>
> 1Reis 19.11-12

Se Elias houvesse permanecido dentro da caverna, sem ser exposto ao forte vendaval, às pedras se soltando do monte, ao terremoto e ao fogo ardente, como saber se ele teria escutado o sussurro baixinho de Deus? Sob o amplo céu, onde o vento uiva e sibila, o Espírito Santo também sussurra.

A lição da videira e do ramo nos planta ao ar livre mais uma vez. Como é perfeito que Jesus tenha ensinado essa lição ao ar livre no início da primavera, no ar frio de uma noite em Jerusalém. Lá, sob uma lua de Páscoa e uma abóbada de estrelas que ele chamou pelo nome, o Deus Encarnado se dirigiu com pés calejados a um jardim que havia escolhido.

É tão apropriado que, minutos depois, Jesus cairia de rosto na terra e, com seu suor, a transformaria em barro. Ele clamaria em tristeza quase mortal: "Aba, Pai, tudo é possível para ti. Peço que afastes de mim este cálice. Contudo, que seja feita a tua vontade, e não a minha" (Mc 14.36).

A crucificação foi escolhida como um método de execução precisamente por expor o condenado às intempéries. Era a tortura exibida num *outdoor* — içando-o num poste, bem alto numa colina, onde todos o veriam. Era o sermão do monte do governo romano, planejado para incitar medo não apenas da dor, mas também da vergonha pública. A crucificação era uma realidade nua e crua, espalmada e esfolada. A crucificação era realizada a céu aberto. No entanto, o mesmo céu aberto que exporia Jesus à visão dos plebeus também ecoava duas palavras que penetrariam os céus mais elevados e salvariam a vida do plebeu mais miserável.

Está consumado.

15
Adubo

Nem todos os elementos desagradáveis do processo de gerar frutos se encaixam na mesma classe da poda ou mesmo da praga, como logo veremos. Alguns deles são apenas adubo.

Há muito que amo a respeito de Jesus, mas o fato de ele ser o tipo que inclui uma parábola sobre adubo nas Santas Escrituras ganha uma classificação bem elevada na categoria bônus com cinco estrelas.

Esta é a história, segundo Jesus:

> Um homem tinha uma figueira em seu vinhedo e foi várias vezes procurar frutos nela, sem sucesso. Por fim, disse ao jardineiro: "Esperei três anos e não encontrei um figo sequer. Corte a figueira, pois só está ocupando espaço no pomar".
>
> O jardineiro respondeu: "Senhor, deixe-a mais um ano, e eu cuidarei dela e a adubarei. Se der figos no próximo ano, ótimo; se não, mande cortá-la".
>
> Lucas 13.6-9

O leitor com olho atento aos detalhes talvez tenha percebido o fato de que a figueira se localizava num vinhedo, e que o homem que cuidava da árvore era um viticultor, não um arboricultor. O senso de localização (*terroir*) da figueira talvez nos pareça deslocado, mas, de acordo com os comentaristas bíblicos, era comum plantar figueiras em vinhedos.[1]

Na verdade, a combinação dessas culturas era uma expressão idiomática no Antigo Testamento para se referir à segurança, ao bem-estar pessoal e à prosperidade — do tipo vivenciado no reino de Salomão: "Durante a vida de Salomão, Judá e Israel viveram em paz e segurança. E, desde Dã, ao norte, até Berseba, ao sul, cada família possuía sua própria videira e sua própria figueira" (1Rs 4.25).

Cem anos depois de Salomão, os filhos de Deus encontravam-se à beira do desastre, prestes a colher o que sua desobediência ininterrupta havia semeado. O profeta Miqueias prenunciou desgraças inevitáveis para os israelitas, e compaixão desmedida.

> O Senhor será mediador entre povos e resolverá
> conflitos entre nações poderosas e distantes.
> Elas forjarão suas espadas para fazer arados
> e transformarão suas lanças em podadeiras.
> As nações já não lutarão entre si,
> nem treinarão mais para a guerra.
> *Todos viverão em paz, sentados sob suas videiras e figueiras,*
> pois não haverá nada a temer.
> Assim prometeu o Senhor dos Exércitos!
>
> Miqueias 4.3-4, ênfase acrescentada

A promessa do fruto da videira e da árvore não se referia apenas a alimentação. Referia-se a esperança. Oferecia evidências prósperas de um destino cumprido. Significava que a terra, a planta que dá uvas e a árvore que dá figos estavam todas fazendo o que foram criadas para fazer: produzir frutos.

Quase ao fim do Antigo Testamento, o profeta Zacarias se referiu à era messiânica, quando Deus removeria os pecados da terra: "E, naquele dia, diz o Senhor dos Exércitos, cada um de vocês convidará seu próximo para sentar-se debaixo de sua videira e de sua figueira" (Zc 3.10).

Na economia de Deus, de que vale a prosperidade se não for compartilhada? A vitalidade divina propaga a hospitalidade, e a acumulação é algo grotesco de tão profano. Amar a si mesmo sem amar ao próximo é não saber nada sobre o amor de Deus.

Quando Jesus contou a parábola da figueira lá pela metade do Evangelho de Lucas, ele aumentou o volume da paciência e compaixão do jardineiro. Ele desejava honestamente retardar o julgamento para conseguir trabalhar com a árvore e encorajá-la a produzir frutos. Caso a árvore, depois de dado período de tempo, ainda não produzisse nada, ele concordaria em apelar ao golpe veloz do machado.

O comentarista Joel B. Green afirma que essa parábola é formidável porque "aguarda a possibilidade da produção de frutos a despeito do histórico de esterilidade — ou, em termos humanos, a possibilidade de uma mudança que leve à fé expressa em obediência ao propósito de Deus. Ela anuncia um aviso de juízo, mas também dramatiza a esperança".[2]

A possibilidade da produção de frutos a despeito do histórico de esterilidade. São palavras espetaculares, não são? Isso significa que nossas histórias não se impõem sobre nós como profecias. Não temos de ser quem sempre fomos. Não importa se passamos por quatro ou quarenta anos de esterilidade espiritual; esse bloqueio é removível. É possível abraçarmos um novo padrão de obediência, e a força vital do Espírito fluirá por nossos ramos, surpreendendo-nos com nossa fertilidade.

Essa é a graça de Deus. Esse é o poder transformador da Cruz. Esse é o caminho do Deus de oportunidades incontáveis.

NINGUÉM ME EXPLICOU QUE UMA VIDA PRODUTIVA ENVOLVERIA TANTO *ESTRUME*.

Entretanto, o Lavrador nos lembra de que não temos a eternidade. Às vezes, nem temos muito tempo. Só temos o agora. Só temos essa curta janela de tempo.

"Conceda-me um tempinho", pede o Lavrador, "e deixe-me cavar em volta e colocar um pouco de adubo."

+ + +

Nem sonhe que o Lavrador não cavará em torno de seu solo bem aplainado. Ele nem mesmo se incomoda de arruinar a obra paisagística que você criou. Ele não vai apenas escavar seus velhos esqueletos e desenterrar alguns fósseis de sua árvore genealógica. É trabalho dele escavar tudo que foi enterrado vivo.

Vamos lá embaixo ver por que você não está crescendo, avisa ele. Vamos descobrir por que seus frutos não se desenvolvem direito.

Ah, não pense que ele não fará isso. No entanto, se ele o fizer, você não precisa se perguntar o motivo. O Lavrador cava em torno das raízes de uma árvore para estimular os frutos, para cutucar e incitar a planta a tornar-se produtiva, para assustá-la de leve com uma pá a fim de que ela desperte e faça o que deveria fazer.

Ele também a fertiliza com estrume.

Ninguém me explicou que uma vida minimamente produtiva envolveria tanto estrume. É por isso que estou lhe avisando. Se você quiser viver uma vida bem frutífera, terá de lidar com montes substanciais de estrume. Bem que eu queria lhe dizer que não é o caso, mas ambos sabemos que seria mentira.

De acordo com minha experiência e minhas observações, há um número considerável de pessoas dispostas a lhe fornecer estrume. Você não precisa sair de casa para procurá-lo; ele o encontrará. Às vezes, é só uma pá de estrume aqui e ali; outras vezes, é como se um caminhão descarregasse toda a carga sobre você.

Tratam-se daquelas situações em nossa vida que fedem daqui até os céus — situações que, em nossa opinião, não deveríamos ter de aturar, mas não temos opção. Se isso é comum a todos os homens — o que, infelizmente, é fato —, é compostagem para os homens que geram frutos. E para as mulheres também.

Não me interprete mal. Não estou dizendo que você precisa gostar de adubo. É estrume, no fim das contas. No entanto, você poderia passar a apreciar o fato de que o Lavrador utiliza o estrume como um fertilizador potente para algum fruto primoroso em sua vida. O portador de estrume — um asno, digamos — não tem a intenção de nos prestar nenhum favor. Só faz o que faz e elimina o que comeu. (Este é um ótimo momento para recordar que as pessoas põem para fora o que elas consomem. Não é possível ditar a elas o que comer, mas podemos cuidar de nossa própria dieta.)

O jardineiro pode apanhar o que não passa de uma pilha de estrume pútrido, aplicá-la na base de nossa árvore e prestar-nos um enorme favor.

A princípio, o estrume que for amontoado sobre você lhe

parecerá não ter valor nenhum. Você terá a impressão de não ter aprendido nada com a situação a não ser, talvez, que as pessoas às vezes são cruéis. Enfrentará um tormento ou um ataque, uma avaliação ou uma crítica em que, mesmo anos mais tarde, não encontrará nenhum aspecto construtivo. Tudo lhe parecerá tão insignificante.

Não é, porém. É adubo. Precisamos de um nome para isso, e esse é o melhor que encontrei.

As pessoas dizem coisas inexplicáveis. Fazem coisas inexplicáveis. Algumas delas não fazem o menor sentido racional — mas servirão bem como adubo.

Não sei se isso lhe serve de consolo, mas é algo que me fez muito bem, por isso estou passando adiante, por via das dúvidas. Da próxima vez que deparar com uma situação desagradável que não parece apresentar nenhum valor, mesmo depois de orações e de uma autoavaliação bem rigorosa, talvez lhe seja um conforto arquivá-la na categoria de adubo.

Embora eu admita que seria melhor não ter de enunciar as seguintes reflexões, imagine-se redirecionado suas respostas mentais desta maneira:

Tenho certeza de que sua única intenção é ser grosseiro,
mas o que você fez talvez fertilize minha árvore.
Por isso, obrigado. Que Deus o abençoe.

Com base em seu menosprezo incansável,
você parece determinado a me forçar a desistir, mas, em vez disso,
é bem possível que você tenha prolongado minha longevidade.
Pense só em como suas pás de estrume poderiam estimular
meus frutos.
Obrigado. Que Deus o abençoe.

Creio que você já compreendeu a ideia, mas, no caso de precisar de mais um exemplo, aqui vai um bem útil:

Essa é sem dúvida uma das coisas mais rudes que já ouvi, mas, uau, que rico fertilizante!
Obrigado! Que Deus o abençoe.

Talvez, como eu, você sonhe em mandar um caixote de compotas de figo para alguém como agradecimento.

Até o estrume tem relevância. E isso é bom; afinal, encaremos os fatos. O estrume é inevitável. Só não precisa ser um desperdício total.

16
Praga

Só um cheiro atrai tanto a atenção do diabo quanto o de sangue. É o cheiro das uvas.

Há um ponto de transição à vida adulta para os ramos saudáveis (e, a esta altura, você entende que, quando me refiro a *ramos*, estou falando dos seguidores de Jesus que produzem frutos). Essa transição à vida adulta não está ligada à passagem do tempo, como se os ponteiros do relógio por si só ditassem a maturidade das plantas. Em algum ponto de seu crescimento na fé, você enfrentará uma seca ou praga ou peste de algum tipo. É nesse momento que você descobrirá em que consiste seu fruto — e se consegue suportar as intempéries que investirão contra ele.

É claro que qualquer um é passível de enfrentar a ameaça de perder tudo, mas estou me dirigindo em específico àqueles que estão fazendo o necessário para gerar frutos para o evangelho e pagando o preço por isso. Dirijo-me àqueles que estão até o pescoço no serviço a Jesus, seja em espaços seculares ou religiosos.

De modo mais incisivo, essas palavras são direcionadas a você caso esteja passando pela transição à vida adulta no que tange à sua vocação, mesmo que, como eu, você nem tenha muita certeza de como chegou aonde chegou. Sim, você poderia tentar relatar a alguém mais novo na fé quais passos você trilhou. Poderia publicar um *blog* sobre isso. Poderia realizar uma sessão eficiente de perguntas e respostas sobre esse tema. Talvez pudesse até escrever um livro decente acerca do assunto. Contudo, no fundo do coração, você sabe que, na maior parte do tempo, não tinha a mínima ideia do que estava fazendo.

No fim das contas, só o que você pode afirmar é que continuou a dar *algum passo — o próximo passo — para servir Jesus*, mesmo que de forma desajeitada, e que, em retrospecto, talvez com algum embaraço, você teve sucesso. No entanto, eis que algo enfim começou a funcionar. Nem sempre, é claro, e não sem falhas, mas de modo satisfatório o bastante para sugerir que você talvez esteja no caminho certo. Seu trabalho começou a produzir algo que se assemelha a frutos, e você tem a sensação de estar onde deveria estar por enquanto.

A menos que sejamos acometidos por uma ambição violenta, nossa contribuição não precisa ser grande. Tudo que nossa alma ansiosa por significado necessita é que seja uma contribuição satisfatória, que tenhamos a sensação de estarmos de fato trabalhando com Deus, em vez de tentando convencê-lo a trabalhar conosco.

Entretanto, essa transição à vida adulta não costuma ser marcada por um senso pessoal de progresso. Pelo contrário, é marcada pela suspeita angustiante de que alguém o odeia. Alguém...

grande
e poderoso
e cruel
e paciente
e enganador
e mesquinho
e sedutor

e belo
e aterrador
e bem informado.

Alguém de posse de suas informações pessoais — ou, para ser mais direto, alguém que conhece seus segredos. O que talvez não seja tão óbvio é que esse ser está muito mais preocupado com seus sucessos do que com seus segredos. Sua produção eficiente de frutos representa a maior ameaça à agenda dele. O interesse primário desse ser em seus segredos reside em utilizá-los da forma mais eficaz para reprimir, macular ou deter seus sucessos.

Se o diabo estiver dando o melhor de si, você pensará que esse ser em questão é Deus. Haverá ocasiões em que você se convencerá por completo de que o próprio Deus se opõe justamente àquilo que ele o convocou a realizar. Em vez de acreditar que aquele que o chama fará isso acontecer, pois ele é fiel (1Ts 5.24), você talvez sinta que, para sua frustração, aquele que o chamou está *impedindo* de forma sistemática que você aja.

Você talvez se sinta tentado a pensar que Deus o ludibriou para que agisse, e depois se recusou a apoiá-lo. Ou que ele o convenceu a tentar algo além de suas habilidades naturais e depois o abandonou, deixando-o por conta própria.

Quando o diabo realiza um trabalho soberbo, você talvez sinta que Deus o convocou e depois mudou de ideia a seu respeito, como se ele não soubesse o que obteria ao escolhê-lo.

Se isso se assemelha à sua situação atual, é provável que você esteja despertando para a guerra. Seus olhos apenas não se ajustaram ainda à escuridão. Veja se algumas destas declarações lhe soam familiares:

Você não sabia que servir a Deus seria assim.

Quando se entregou a Jesus, você não fazia ideia de onde estava se metendo.

Você imagina que deve ter feito algo errado para a situação ser tão difícil. Não era assim quando começou.

Você deve ter sido orgulhoso demais. Talvez tenha gostado demais de servir.

Seus frutos anteriores devem ter sido todos resultados do acaso. Você é um prodígio de uma obra só.

Você se sente constrangido demais para contar aos outros sobre a batalha que está travando. Eles pensarão que é tudo culpa sua.

O que você talvez não perceba é que cada pessoa que se preze no reino dos céus ou já passou por sua própria versão do mesmo, ou está enfrentando essa situação neste exato momento. E é algo infernal.

+ + +

Com o primeiro aroma das uvas maduras e rechonchudas, o diabo surge como uma praga. É claro, talvez você ainda não chame isso de guerra espiritual, pois esse é o nome dado pelas gerações mais velhas, e você quer se provar mais moderno que elas. No entanto, depois de tempo suficiente nas trincheiras, posso praticamente lhe prometer que essa atitude será uma das vítimas da guerra.

Até que você sobreviva a vários ciclos de praga severa, em que vermes, insetos, aranhas e podridão tentem devorá-lo, você seguirá tranquilo em seu caminho, em parte convencido de que o demônio não é tão real. Não tão específico. Não tão pessoal. Não tão ligado. Não tão sintonizado. O demônio é

MUITO DA GUERRA CONTRA O DIABO SE REFERE A SABER SE VOCÊ *PRETENDE DESISTIR.*

apenas o modo como a Bíblia personifica as trevas, você argumenta. Seja como for, se ele calhar de ser mais que isso, Deus não permitirá de forma nenhuma que o diabo mexa com sua vocação ou com seus filhos.

Se você quiser se apegar a essa fantasia, pule o livro de Jó, fuja dos Salmos e parta em disparada quando mencionarem Ester.

A batalha da transição à vida adulta não se limita a forças externas como a praga enviada das profundezas do inferno. Satanás conserva energia significativa se apenas nos alistarmos como nosso pior inimigo. É o bom e velho autocanibalismo: a prática de devorar a si mesmo.

Quando voltamos os ataques para dentro, nossas vulnerabilidades e nossas habilidades impressionantes começam a se transformar depressa em desvantagens. Nossas próprias mãos erguem o pé-de-cabra para golpear cada brecha em nossa armadura. Somos tentados a cometer ações que nunca cometeríamos, e ações que havíamos condenado outros em público por cometer.

Caso você seja solteiro, os desafios que enfrentou com mínimo esforço agora se assomam sobre sua vida como um maremoto. Os métodos em que confiava e que recomendou a outros não parecem funcionar mais. Caso seja casado, seu casamento, do qual se gabou em público, agora dá mostras de estar desmoronando. Caso tenha filhos, estes, que até agora vinham cumprindo com obediência seus sonhos e lhe trazendo um orgulho tremendo, exibem sinais de desequilíbrio. As bênçãos notáveis de Deus a seu emprego, sua vida de serviço ou seu ministério agora parecem, para seu espanto, ter desaparecido. Você tem a sensação de que sua estrela crescente se tornou uma pedra a afundar.

Na metade do tempo, você talvez pense que está perdendo a cabeça, e torce para que ninguém tenha notado. Está recebendo críticas. Está atraindo muita oposição. Você tem fantasias a respeito de se demitir e se mudar para uma ilha remota, onde vestiria uma tanga, beberia leite de coco e nadaria com os golfinhos. À noite, tem pesadelos em que você aguentou firme quanto à sua vocação e foi massacrado por ela.

Parabéns. Você se tornou adulto.

Isso pelo que está passando é algo pelo que quase todos que encaram com seriedade o serviço a Jesus já passaram. Agora que é adulto, que teve a fé e audácia de produzir muitos frutos, precisa ser notado pelo diabo. Ao mesmo tempo, seu Deus, cuja fidelidade é irrefreável, cujo amor por você é incomensurável, formou uma aliança na cruz não apenas para salvá-lo, mas para conformá-lo à imagem do Filho dele.

Pela sublime graça de Deus, a obrigação dele é fazer com que você cresça. E crescer implica certa angústia. Entre outras consequências, crescer nos força a encarar o impostor e farsante que encontramos em nosso próprio espelho.

Caso essa seja a estação pela qual está passando neste momento, posso assegurá-lo com confiança razoável de que ela não será sempre tão brutal. Sempre será difícil. Às vezes, será horrível. No entanto, essa estação de praga de arregalar os olhos, de *ninguém-nunca-me-avisou-que-seria-assim*, não vai durar para sempre. A minha durou cerca de sete anos. Desde aquela época, passei por várias outras estações que se revelaram igualmente difíceis, mas não sou mais ingênua, nem me encontro desarmada ou despreparada.

O que é mais importante é que certas questões foram resolvidas da primeira vez que surgiram. Parte de crescer é resolver alguns problemas. Resolver problemas do passado, por exemplo, e apoiar-se com determinação em algumas decisões que, em ocasiões anteriores, você conseguiu evitar ao não se comprometer. Resolver problemas pode significar reunir a coragem para traçar uma linha demarcatória que, lá no fundo, você sabe que precisa ser traçada. No meu caso, o crescimento foi alimentado em parte pelo quanto me queimei por causa de minha própria duplicidade. Ao examinar a trilha de cinzas que deixei para trás, tomei a decisão sobre quem eu queria ser, e me ative a ela.

Sua transição à vida adulta em meio a uma praga angustiante talvez não dure tanto quanto durou a minha. Isso é decisão de Deus. Bem, de Deus e sua. É necessário que você coopere. Se você nunca aprender a lutar, talvez se torne soldado, mas nunca será guerreiro.

O lema dos inexperientes é "Ignore o diabo, e ele irá embora". Ninguém diz isso depois de um banho de sangue. "Resistam ao diabo, e ele fugirá de vocês" (Tg 4.7).

É assim que funciona. *Resistir* não é um termo passivo. É um termo que não cede terreno, plantando os pés com firmeza no chão. Retribui os empurrões. Empurra com força. Aplica força divina — trajando armadura, uma espada na mão direita e um escudo na esquerda.

PRAGA

Muito da guerra contra o diabo se refere a saber se você pretende desistir. Ou se vai se tornar negligente. Ou se vai se agarrar ao que o motivou no princípio.

Jesus.
As Escrituras.
A paixão devota.
A santidade.

E não se trata apenas de uma questão de se agarrar a esses elementos, mas de se apoiar ainda mais neles, com fé renovada. Perguntas como estas possuem relevância especial na cultura que nos cerca: vamos fazer o necessário para nos tornamos discípulos autênticos e comprovados de Jesus Cristo — suportando o que tivermos de suportar, aprendendo o que tivermos de aprender, negando o que precisarmos negar, e aceitando tudo que é preciso aceitar? Ou vamos escorregar pelo buraco negro sedutor das ocupações e dos negócios, das plataformas e da posição, da notoriedade e da busca da fama, do mercado, da carnalidade, da autoimportância, da celebridade e da promoção de marcas?

Depois da batalha mais ferrenha de sua vida, quando você perder a ingenuidade, o que fará? Caso desaponte a si mesmo e a outros — em algum momento, todos nós desapontamos —, você vai desistir, acreditando na mentira de que não tem mais o necessário para o sucesso? Vai só seguir com a correnteza e assumir que a degeneração sucede por natureza a regeneração? Ou vai lutar para recuperar o coração puro?

Somos visitados pelas palavras lúcidas de Gálatas 3.33. Você tentará realizar na pele o que começou a realizar no Espírito? Deixará as orações para os "guerreiros das orações" a fim de assim evitar o transtorno de expor tudo diante do Senhor? Delegará a outros a luta pelo território que Deus lhe confiou? Ou lutará com todas as forças até se ver ensanguentado e combalido?

Conheço essas perguntas de cor, pois as apliquei a mim mesma.

+ + +

A transição à vida adulta é a intersecção mais crítica de sua vocação. É o local do Espírito e do massacre. É o canto onde você toma uma de duas direções: sua fertilidade é devorada pelo diabo ou por sua própria carnalidade, ou você permite que Deus crucifique seu ego, seu medo e sua letargia e o cultique para que você se torne imensamente frutífero para o evangelho.

Se você estiver enfrentando uma temporada de pragas, lute contra elas. Se houver se descuidado, corrija sua atitude. Se estiver mergulhado até o pescoço no pecado, arrependa-se. Prostre-se de novo diante de Deus. Abra uma Bíblia e plante o nariz nela. Memorize as Escrituras. Aprenda a jejuar e orar. Pare de falar mais sobre Jesus do que fala com ele. Não deixe sua boca suplantar seu caráter. Transforme-se naquela pessoa de quem você zombou por levar Jesus a sério demais. Viva e ame com bravura. Doe com generosidade. Ajude os pobres.

Você emergirá ao fim de cada batalha bem combatida com algo muito melhor do que uma quantidade imensa de frutos de qualidade. Emergirá conhecendo Jesus de uma forma que antes acreditava que ele não poderia ser conhecido.

Jesus é o prêmio em si, proeminente em tudo. Comungar dos sofrimentos de Jesus, deleitar-se em sua presença, crescer em sua graça, sentir seu poder na fraqueza, descobrir sua paz peculiar no caos, e encontrar conforto em sua consolação

— esses são os prêmios que fazem com que valha a pena travar a batalha furiosa.

Um dia desses, quando tivermos a oportunidade de conversar com Jesus face a face e lhe contar como a praga quase nos destruiu, é possível que ele nos responda, talvez com um sorriso, que nossa alma nunca correu nenhum risco — nem, na verdade, nossa fertilidade. Ele nunca afastou o olhar de nós. Nunca nos deixou sozinhos no campo de batalha. Ele lutou por nós. Defendeu-nos. Tomou os ataques contra nós de forma pessoal. Fez por nós o que Deus fez por José em Gênesis 49.24. Quando os arqueiros demoníacos nos atacaram, disparando flechas envenenadas, ele manteve nosso arco estável, e nossos "braços foram fortalecidos pelas mãos do Poderoso de Jacó".

Jesus sabia como tudo transcorreria. Sabia a força que tínhamos dentro de nós quando o diabo veio nos atormentar. Foi Jesus que a colocou lá.

É por isso que você pôde ser testado quase além do que era capaz de suportar. Ele sabia que você se provaria genuíno. Até mesmo quando receamos ser uma fraude, Jesus sabia que isso não era verdade.[1]

PARTE V

A vindima

Em Jerusalém, o SENHOR dos Exércitos oferecerá
um grande banquete para todos os povos do mundo.
Será um banquete delicioso, com vinho puro e envelhecido
e carne da melhor qualidade.

ISAÍAS 25.6

17
Colheita

Na igreja de cidade pequena em que cresci, eu teria sido capaz de lhe transmitir muitas palavras que descrevem o caráter de Deus. Nos versículos que decorei e nos sermões e aulas da escola dominical a que assisti, aprendi que Deus é santo. Que ele é eterno. Todo-poderoso. Bondoso. Eu acreditava que ele era gentil. No entanto, se alguém me perguntasse se Deus era feliz, eu teria me emudecido de súbito, como se houvessem me feito uma "pegadinha".

Eu estava familiarizada com um mundo caído antes mesmo de saber o que era um sutiã. Eu teria me perguntado como, por tudo que é santo, Deus poderia ser feliz, considerando o quanto os seres humanos eram horríveis. O quanto *eu* era horrível.

Eu já me via bem em meio aos tormentos da vida adulta quando descobri que Deus é, de fato, um Deus de alegria. Não se tratou de nenhuma epifania emocional — meus sentimentos teriam sido o último fator a me convencer disso. Passei a aceitar a alegria divina porque as Escrituras se referiam a ela inúmeras vezes.

"A alegria vem", anunciou o salmista, e ele tinha razão (Sl 30.5). Ela sempre vem. "O choro pode durar toda a noite", cantou esse poeta que não era estranho às lágrimas, "mas a alegria vem com o amanhecer." A promessa é mantida com sinceridade mesmo quando a noite escura perdura por semanas e meses. Mesmo quando o sofrimento parece durar pela maior parte da vida. E o choro não será apenas aliviado ao raiar do dia eterno — será substituído por completo pela alegria.

Apesar das mensagens que possamos ter ouvido em contrário, nosso Deus é um Deus de enorme alegria. Na parábola dos talentos, Jesus empregou essa palavra para caracterizar nosso futuro inteiro com ele. As boas-vindas ao servo às portas do céu é uma ode à alegria: "Muito bem, servo bom e fiel! [...] Venha e participe da alegria do seu senhor!" (Mt 25.23, NVI). Em João 15, lar do ensinamento sobre a videira e os ramos, Jesus assegurou: "Eu lhes disse estas coisas para que fiquem repletos da minha alegria. Sim, sua alegria transbordará!" (Jo 15.11)

"Minha alegria", disse Jesus. "Repletos da minha alegria."

O Homem das Dores era, ao mesmo tempo, o Homem das Alegrias — de maneiras talvez além de nossa compreensão, mas não de todo além de nossa experiência. À medida que tento cultivar um vinhedo, do chão até a uva madura, no solo de minha imaginação, tenho explorado muitas das dificuldades e desafios do preparo de um vinhedo. Contudo, suspeito que eu talvez tenha subestimado a alegria que advém do cultivo.

+ + +

Imagine que o sol está nascendo, e você e eu acabamos de estacionar junto a um vasto vinhedo verde na encosta ondulante de um monte. As uvas estão no pico do amadurecimento, cintilando com o orvalho. É a época de apanhar os cestos. No entanto, para não entrar marchando no campo com pés pesados, com ar de alguém cujo cão acabou de morrer, você

COLHEITA

precisa saber que a vindima é um evento agitado. O trabalho é árduo, mas os ânimos não poderiam ser mais festivos.

Depois de todos os esforços, de remover as pedras, cavar, arrancar as ervas daninhas, esperar, crescer, pôr estacas, proteger, podar, prestar atenção às mudanças climáticas e marcar a passagem do tempo, chegou enfim a hora de colher as uvas. E, como se vê, com cada colheita de uvas vem uma celebração. Não me refiro apenas ao fato de que há uma festa ao fim da colheita, embora isso seja verdade e ela atinja níveis extremos a tal altura. Quero dizer que há celebração em meio à colheita. Eu não poderia me sentir mais satisfeita.

A celebração foi ideia de Deus. Ele afixou festivais no calendário hebreu anual como se fossem luzes de Natal — sete deles, cada um comemorando sua fidelidade — e ordenou que seu povo os celebrasse. Três desses são festivais de peregrinação, convocando os israelitas de toda a terra a subir (sempre subir, nunca descer) a Jerusalém.

A cada ano, celebrem três festas em minha honra. Primeiro, celebrem a Festa dos Pães sem Fermento. Durante sete dias, o pão que vocês comerem será preparado sem fermento, conforme eu lhes ordenei. Celebrem essa festa anualmente no tempo determinado, no mês de abibe, pois é o aniversário de sua partida do Egito. Ninguém deve se apresentar diante de mim de mãos vazias.

Celebrem também a Festa da Colheita, quando me trarão os primeiros frutos de suas colheitas.

Por fim, celebrem a Festa da Última Colheita no final da safra, quando tiverem colhido todos os produtos de seus campos. A cada ano, nessas três ocasiões, todos os homens de Israel devem comparecer diante do Soberano, o SENHOR.

Êxodo 23.14-17

O olho do viticultor se fixa no festival do fim da safra: a Festa da Última Colheita, também chamada de Festa dos Tabernáculos ou Festa das Cabanas. Os israelitas que empreenderam a viagem acamparam por toda Jerusalém em pequenas tendas ou cabanas que construíram com ramos de palma. Essas cabanas eram reconstituições dos abrigos temporários que os israelitas haviam construído durante os quarenta anos de travessia do deserto.

Mais relevante à questão que estamos discutindo é o fato de que as cabanas eram também o tipo de abrigos erigidos pelos ceifeiros na época da colheita. Deus marcou no calendário, para seu próprio prazer, essa celebração oficial ao fim da vindima.

Deleite-se na alegria que Deus atribuiu à ocasião em Deuteronômio:

> Celebrem a Festa das Cabanas durante sete dias, no final da época da colheita, depois que ajuntarem os cereais e prensarem as uvas. Essa festa será um tempo de alegria e comemoração com seus filhos e filhas, seus servos e servas, com os levitas, estrangeiros, órfãos e viúvas de suas cidades. Durante sete dias, celebrem essa festa em homenagem ao SENHOR, seu Deus, no lugar que ele escolher, pois ele é quem os abençoa em todas as suas colheitas e lhes dá sucesso em todo o seu trabalho. Essa festa será um tempo de grande alegria para vocês.
>
> Deuteronômio 16.13-15

Grande alegria.

Era essencial não perder tempo para iniciar a colheita. Espere só alguns dias a mais, e as uvas maduras começarão a murchar e a apodrecer, a casca arrebentando, rasgando e enrugando. Os israelitas precisavam agir rápido, e quanto maior fosse o vinhedo, mais operários eram necessários. Era comum que aldeias inteiras se envolvessem na coleta, e as cabanas se espalhavam pelas bordas do vinhedo.

Homens, mulheres e crianças se moviam de forma rítmica de um lado para outro das fileiras, cestos na mão, cantando, dançando e festejando. Gritavam entre si sobre os cachos esplêndidos, celebrando com sociabilidade irrefreável a bondade de Deus por gerar frutos a partir do pó da terra.

Todos eram convidados a participar. "A comunidade em celebração incluía famílias, servos, viúvas, órfãos, levitas e estrangeiros."[1] Os únicos que eram deixados de fora eram os que se recusavam a participar. "Essa festa será um tempo de alegria e comemoração" foi a instrução que receberam. Riam e continuem. Assobiem enquanto trabalham. Cantem ao Senhor, porque ele é bom para vocês (Sl 13.6).

A exuberância se propagava do corte das uvas no vinhedo para o esmagamento das uvas com os pés nas máquinas de prensar. "[Deus] gritará como aqueles que pisam uvas" (Jr 25.31).

Talvez eu esteja exagerando o ponto, mas imagine como nossa raiva acumulada se reduziria caso pudéssemos nos lançar a um festival anual de gritos e pisoteio em uvas. "As celebrações eram parte tão integral da vindima que sua ausência seria encarada como sinal do julgamento de Deus."[2]

Estas linhas de Isaías colocam a ausência conspícua das celebrações da vindima em versos melancólicos:

> Por isso, agora choro por Jazar e pelos vinhedos de Sibma;
> minhas lágrimas correrão por Hesbom e por Eleale.
> Não há mais gritos de alegria
> por seus frutos de verão e suas colheitas.

> Encerrou-se a alegria,
>   acabou-se a celebração pela colheita.
> Já não haverá cânticos nos vinhedos,
>   nem gritos de exultação,
> ninguém pisará as uvas nos tanques de prensar;
>   acabei com toda a alegria de suas colheitas.
>
> Isaías 16.9-10

Em outras palavras, a intenção de Deus era que a alegria fosse tão essencial à vindima que, se ausente, o povo de Deus saberia que havia algo errado. A falta duradoura de alegria era um sinal de alerta, um indicador para que eles erguessem a cabeça e buscassem a Deus para saber o que havia acontecido.

O problema não era sempre a desobediência direta. Às vezes, um inimigo opressor era o culpado. De um jeito ou de outro, a ideia nunca foi que a alegria fosse uma questão de sorte para o povo de Deus. Ele determinou que a alegria seria um dos aspectos mais consistentes e característicos de um crente.

+ + +

Quando minhas filhas e eu viajávamos pela Toscana ao fim da vindima, chamamos um táxi para nos levar a Siena para um dia de passeio. A motorista do táxi nos conduziu às voltas colina abaixo a partir de nosso alojamento, entrando numa estrada de duas pistas onde uma dúzia de carros se encontravam estacionados no acostamento estreito.

Senti-me encantada pela visão dos ceifadores caminhando pelas fileiras do vinhedo — quase valsando, em minha recordação romantizada — com cestos e tesouras, colhendo os frutos dos poucos acres que restavam. Quando retornamos de Siena seis horas mais tarde, não havia nenhum cacho à vista.

As datas da vindima são marcadas de acordo com diversas variáveis. O gerenciamento de um vinhedo analisa com obsessão as previsões de tempo, prestando atenção a quaisquer extremos previstos no ápice do amadurecimento. Chuva forte, granizo, geada e fumaça são inimigos perversos da vindima, de modo que, sob ameaças iminentes, a colheita é realizada mais cedo a fim de diminuir os prejuízos. O químico do vinhedo também é colocado em estado de alerta, testando amostras para verificar a acidez e os níveis de açúcar.

Depois de não muito tempo, pronta ou não, a ceifa começa. Voluntários chegam antes do amanhecer, preenchem os formulários apropriados e se reúnem em torno de um viticultor para um treinamento escrupuloso sobre como examinar um cacho desejável e eliminar o que estiver podre. Os operários são então organizados como soldados para a grande colheita, tesouras numa mão e um recipiente na outra. Estão prontos para participar de uma das mais ricas tradições, observada há milênios.

É verdade que a maioria dos vinhedos no mundo adotou máquinas para a colheita, mas todos os pontos de vindima que visitei ainda colhiam as uvas do jeito tradicional. Para meu deleite, muitos vinhedos, até mesmo no Texas, ainda convidam pessoas das comunidades locais a participarem.

Os ceifeiros, que eram estranhos uns aos outros ao chegar, são amigos quando é chegada a hora de partir. Eles trabalharam juntos, gabaram-se juntos das belas uvas e lamentaram juntos a tragédia da porção que apodreceu. Comeram juntos, tanto o almoço quanto o jantar — sendo este último de farta variedade.

Então, a festa chega ao auge. A forma como cada vinhedo festeja depende do proprietário, mas não devemos supor que o Proprietário do vinhedo divino e seu Lavrador teriam alguma expectativa de que seus operários se absteriam de celebrar. Na verdade, celebrar é algo que fazemos *porque* fomos criados à imagem de Deus.

Quando Jesus narrou a parábola do filho pródigo, ele nos ofereceu uma das ilustrações mais preciosas e inestimáveis de Deus como Pai. Talvez algumas pessoas tenham se cansado de ouvi-la, mas, para aqueles entre nós que já se viram mergulhados até o pescoço no chiqueiro, é uma história que nunca envelhece.

O pai dá as boas-vindas a um filho envergonhado e enfraquecido por seus pecados quando este volta para casa, onde é seu lugar. Não há nada de sutil na recepção. Não vemos nenhuma reintrodução privada ao lar. Não há nenhuma reunião de família para decidir que versão da história contariam à cidade. O pai de imediato convoca uma festa com música tão alta e dança tão animada que o irmão mais velho escuta os sons reverberando pelas paredes e pelo teto quando ele retorna dos campos (Lc 15.11-32).

Apesar da reputação de muitos crentes, a virtude cristã não é marcada pela prontidão para se lamentar e pela relutância em comemorar. O oposto está mais próximo da verdade. Não é nenhum distintivo de maturidade sentar-se de forma

FESTEJAR FOI IDEIA DE DEUS,
PARA INÍCIO DE CONVERSA.

COLHEITA

passiva e recusar-se a se alegrar com a fertilidade. Fomos criados para celebrar e nos divertir um pouco quando o Senhor da colheita extrai os frutos de nossos esforços. Quando agimos como se não notássemos as bênçãos de Deus, não é por humildade. É por ingratidão.

Preciso acreditar que isso é parte do motivo por que a comunidade é tão vital na colheita. O esforço em grupo envolvido na vindima fornece uma temperança própria para o ego individual. Na presença da cooperação, os egos encolhem.

A autonomia, um valor tão estimado e premiado em nossa cultura, levou o corpo de Cristo a adoecer. Estamos sangrando nossa alegria, sufocando nossas canções e abafando nosso riso. Nossa autossuficiência nos sequestrou e nos deixou ilhados na costa de ilhas microscópicas de um homem só.

Em vez de abraçarmos nossa identidade como filhos e filhas do Lavrador, vivemos como operários ressentidos. Nosso olhar frenético vai de uma ponta a outra das fileiras do vinhedo, com inveja daqueles cujos cestos parecem conter mais frutos que o nosso, e julgando aqueles cujos cestos parecem conter menos. Esquecemos que fomos criados para trabalhar juntos, comer juntos, lamentar juntos e celebrar juntos. Esses são os direitos de nascença que recebemos como filhos de Deus.

+ + +

Esperei esse tempo todo para mencionar a ocasião em que o primeiro vinhedo surge nas Escrituras. Você o encontrará no cânone logo em Gênesis 9.

> Os filhos de Noé que saíram da arca com o pai foram Sem, Cam e Jafé. (Cam é o pai de Canaã.) Desses três filhos de Noé vêm todas as pessoas que agora povoam a terra.

O QUE APRENDI COM AS VIDEIRAS

> Depois do dilúvio, Noé começou a cultivar o solo e plantou uma videira.
>
> Gênesis 9.18-20

Nada melhor para transformá-lo num homem da terra do que passar semanas sendo sacudido pelas águas. A impressão que fica é que Noé mal se firmou no chão quando começou a cavar a terra. Eu bem gostaria que o texto se prolongasse nesse ponto para que eu ouvisse tudo sobre como Noé procurou uma colina fértil, removeu as pedras, construiu uma torre de vigia, e tudo mais. Entretanto, Deus se mostrou bastante econômico no número de palavras quando inspirou esse segmento da história de Noé. O texto passa direto de "plantou uma videira" para "bebeu do vinho que ele próprio havia produzido, ficou embriagado e foi deitar-se nu em sua tenda" (Gn 9.21).

A proximidade desses dois versículos poderia levar um leitor a pensar que Noé desceu da arca e se embebedou no instante seguinte. Você talvez até se pergunte se isso é motivo para culpá-lo. No entanto, agora que acumulamos algumas lições sobre viticultura, sabemos que quando Noé plantou um vinhedo, realizou a colheita e fabricou o vinho, meses, se não anos, deviam ter se passado desde o desembarque.

Não há necessidade de encobrir a situação para proteger Noé. Sem e Jafé cuidaram disso (Gn 9.23). Noé era um homem virtuoso, e novo no campo da viticultura, afinal. Contudo, tenho de admitir que não é desse jeito que eu teria roteirizado a cena.

Ainda assim, talvez a cena que é descrita não seja de todo diferente do mundo em que vivemos. Fomos criados para produzir uma quantidade imensa de frutos e para encontrar alegria no coração ao fazê-lo, mas a ideia não é que nos embriaguemos nisso. Nossa cultura movida por plataformas sociais está repleta de pessoas que se embebedam de seus próprios frutos, inebriados pela atenção.

Esse não era o plano de Deus. Alegrias extravagantes podem ser abundantes na comunidade, desde que não nos deixemos sucumbir a grandes egos, rivalidades mesquinhas e inseguranças pessoais. Na verdade, eu diria até que nós que estamos em Cristo nunca somos mais felizes do que quando celebramos uma colheita na comunidade.

Quando o Espírito Santo é abundante e ativo dentro de nós, não nos importamos muito com quem colheu mais frutos na vindima. Somos todos parte do ano da colheita, andando juntos de um lado a outro daquelas fileiras na Festa das Cabanas. O crédito de uma ótima colheita vai para o Lavrador, mas o júbilo é copioso para todos.

Grande alegria.

"Eu lhes disse estas coisas para que fiquem repletos da minha alegria. Sim, sua alegria transbordará!"

Em seu comentário sobre este versículo, o dr. Leon Morris apresenta um argumento que considero fascinante. Até o discurso de despedida na noite da prisão de Jesus, o Evangelho de João registra a palavra *alegria* apenas uma vez (Jo 3.29). Então, naquela noite final, consta que Jesus a empregou sete vezes de forma inegavelmente deliberada. São como fogos de artifício.

Morris escreve:

Não é uma existência triste e estéril que Jesus planeja para seu povo. Contudo, a alegria de que ele fala surge apenas quando eles obedecem a seus comandos com toda a sinceridade. A sinceridade parcial conquista apenas o pior de ambos os mundos.[3]

Acredito de todo o coração que isso seja verdade. Resistimos à ideia de nos oferecermos por completo a qualquer um ou a qualquer coisa que tenha o potencial de interferir com nossos desejos pessoais, e Jesus deixou claro desde o princípio que a vontade de Deus e a nossa às vezes entrariam em conflito. Entretanto, nossa rendição a Jesus é também, no fim das contas, nossa rendição à alegria.

O dr. Morris cita outro estudioso, o dr. R. H. Strachan, com palavras que considero irresistíveis:

> A *alegria* de Jesus é a alegria que brota do senso de uma missão concluída. É uma alegria criativa, como a do artista. Produz um senso de poder não exaurido para criar algo novo. Essa alegria no coração de Jesus é tanto a alegria da vitória ([Jo] 15.11) quanto o senso de ter criado sua igreja.[4]

A alegria do artista. Alguém se surpreende com o fato de artistas por toda a história terem esvaziado baldes de tinta pintando vinhedos em suas telas? E o que leva uma paisagem desprovida de pessoas, capturada em pinturas em acrílico feitas por seres humanos, a despertar o romântico dentro de nós?

Não é apenas a esperança de uma mesa posta com copos de cristal. A magia acontece muito antes disso. Talvez, em algum lugar bem fundo de nossa imaginação, nós acrescentemos pessoas à pintura. Sabemos de modo inerente que nenhum vinhedo cresce por conta própria. Nenhuma vindima se recolhe a si mesma.

COLHEITA

Mentalmente, vá em frente e fite por algum tempo a paisagem pintada, e, em seguida, leia as entrelinhas do vinhedo. Não são fileiras vazias.

Veja, ó observador, os ceifeiros nos campos, com as túnicas sopradas pela brisa e os cestos na mão. As crianças estão correndo, rindo, brincando de pega-pega. Homens e mulheres vão cortando, valsando, enchendo os cestos, empurrando as carretas. Escute, ó ouvinte, as canções, os brados alegres, os sons da celebração jubilosa.

É o santo festival da vindima feliz, a dança de Deus e do homem.

18
Recolhimento

Deus realiza tudo a seu próprio modo, um fato deixado tão claro quanto um cálice de cristal pela ética de trabalho que ele atribuiu à colheita dos frutos. Ele me ensinou essa lição em cores vívidas quando estávamos na Toscana.

Quando minhas filhas e eu retornamos de nosso passeio em Siena, fiquei pasma ao encontrar cada ramo do vinhedo completamente desprovido de cachos. Era a última temporada do espetáculo das uvas, e os ceifeiros que tínhamos avistado aplicavam as tesouras às últimas fileiras. Quando voltamos seis horas mais tarde, já tinham valsado de volta para casa havia muito tempo.

Os ramos agora se mostravam livres de frutos, e as fileiras estavam tão limpas como o piso recém-varrido de uma cozinha. Lembro-me desse detalhe com clareza particular porque as videiras sem fruto haviam sido o tópico de muitas provocações bem humoradas entre minhas filhas e eu.

Naquela manhã, bem cedo, encantada com a visão da colheita das uvas em andamento, eu havia me apressado a soltar o cinto de segurança e pedido à motorista do táxi que parasse para que eu fotografasse os ceifeiros com meu celular.

Quando a motorista manobrou em direção ao acostamento, as meninas intervieram com protestos imediatos: "Mãe, espere até voltarmos!".

RECOLHIMENTO

Protestei de volta, mas fui derrotada por três votos a um, com a motorista acrescentando seu apoio a elas pelo espelho retrovisor.

As meninas logo recorreram a juramentos: "A gente promete parar aqui hoje à tarde".

Não pense que o raciocínio delas se concentrava apenas em chegar a Siena a tempo. Minhas filhas conhecem a mãe que têm, e previram que o vinhedo seria tomado por um espetáculo entusiasmado de longos cabelos loiros, gestos copiosos e brados de "*Ciao!*" num sotaque sulista multissilábico que a motorista teria de traduzir. Embora eu preferisse imaginar que minha visita completaria a alegria dos ceifeiros, as meninas se mostravam menos convencidas.

Eu também tinha noções grandiosas — sonhos, na verdade — sobre quão magníficas seriam minhas fotografias. Ora bolas, elas poderiam acabar numa revista de viagem. "Que olhar fantástico a Beth tem", as pessoas comentariam. Eu já via tudo em minha mente. Não importava que eu precise tirar nada menos que vinte fotos para conseguir um retrato decente de um prato de *enchiladas* para publicar no Instagram. Essa teria sido minha grande oportunidade de conquistar o sucesso. Infelizmente, emergi daquele dia fatídico sem uma fotografia sequer. Contudo, se eu houvesse sido transportada no tempo para uma era anterior, andando a pé ao lado de um vinhedo na Judeia, nada disso teria acontecido. Por quê? Os vinhedos não teriam sido colhidos por completo. Deus o comandou — e não só uma vez.

A primeira menção desse comando aparece em Levítico:

Quando fizerem a colheita de sua terra, não colham as espigas nos cantos dos campos nem apanhem aquilo que os ceifeiros deixarem cair. O mesmo se aplica à colheita da uva. Não cortem até o último cacho de cada videira nem apanhem as uvas que caírem no chão. Deixem-nas para os pobres e estrangeiros que vivem entre vocês. Eu sou o SENHOR, seu Deus.

Levítico 19.9-10

Vários capítulos mais tarde, a mesma instrução é repetida:

Quando fizerem a colheita da sua terra, não colham as espigas nos cantos dos campos e não apanhem aquilo que cair das mãos dos ceifeiros. Deixem esses grãos para os pobres e estrangeiros que vivem entre vocês. Eu sou o SENHOR, seu Deus.

Levítico 23.22

A ordem para deixar uma margem nos cantos dos campos é reiterada, com mais ênfase, em Deuteronômio:

Sejam justos com os estrangeiros e os órfãos que vivem entre vocês, e jamais aceitem a roupa de uma viúva como garantia por sua dívida. Lembrem-se sempre de que vocês foram escravos no Egito e de que o SENHOR, seu Deus, os libertou da escravidão. Por isso eu lhes dou estas ordens.

Quando estiverem fazendo a colheita de suas lavouras e esquecerem um feixe de cereais no campo, não voltem para buscá-lo. Deixem-no para os estrangeiros, para os órfãos e para as viúvas. Então o SENHOR, seu Deus, os abençoará em tudo que fizerem. Quando sacudirem as azeitonas de suas oliveiras, não passem pelos mesmos ramos duas vezes. Deixem as azeitonas restantes para os estrangeiros, os órfãos e as viúvas. Quando colherem uvas em seus vinhedos, não passem novamente pelas videiras. Deixem as uvas restantes para os estrangeiros, os órfãos e as viúvas. Lembrem-se de que vocês foram escravos na terra do Egito. Por isso eu lhes dou estas ordens.

Deuteronômio 24.17-22

"Lembre-se de onde esteve", o Senhor ordenou, em essência. "Lembre-se da pedra de que foi talhado. Lembre-se de que eu o redimi. Você não realizou isso sozinho. Você foi o viajante. Foi o dependente, lançado à mercê de estranhos que não lhe deviam nada. Não se atreva a ignorar, em seu privilégio, os desprivilegiados."

Considere por um momento o aspecto mais fascinante da ordem de Deus em ambas as passagens. A sobra dos frutos não era para ser deixada de forma aleatória, aqui, ali e acolá. Os israelitas deveriam deixá-la nos cantos, onde estariam mais acessíveis aos necessitados.

Tendo em vista a natureza humana, é provável que o povo do Senhor teria deixado os frutos no centro, onde seriam mais difíceis de colher. "Que eles façam o trabalho que não queremos fazer." Como é costume de Deus, ele convocou seu povo a uma reversão de suas tendências naturais — como serviço a outros e também como forma de diferenciá-los do mundo. "Facilite a vida dos necessitados. Deixe as provisões deles bem à vista."

+ + +

No início de certa colheita, muitos séculos atrás, o sopro do Espírito Santo tocou os campos de cevada de Belém. Isso deu vida a essa lei por meio de pessoas reais, com nomes reais, e cujo futuro real estava em jogo.

Eis a cena: uma jovem chamada Rute parte de seu lar em Moabe para se juntar à sogra, Noemi, numa jornada custosa para o norte até Belém, terra natal de Noemi. Ambas as mulheres eram viúvas e sem filhos e, como tal, em grandes dificuldades. No entanto, seus apuros estão longe de ser iguais. Rute entra na Judeia com dupla desvantagem por ser moabita, uma estrangeira.

O QUE APRENDI COM AS VIDEIRAS

Ao chegarem a Belém, a sobrevivência delas depende de atenderem a uma necessidade iminente. Precisam comer e, a fim de continuar comendo, precisam encontrar uma maneira de vender uma parcela da terra que restava ainda em nome de Elimeleque, o marido falecido de Noemi. "Rute saiu para colher espigas após os ceifeiros" (Rt 2.3).

A maioria de nós não mora perto o bastante de um campo de cevada para saber de onde vem nosso pão. Se é o seu caso, permita-me explicar um termo básico da colheita. No mundo da antiga Judeia, recolhimento era um termo agrícola que se referia à coleta dos grãos deixados para trás pelos ceifeiros. Para os desprivilegiados, esse costume planejado por Deus carregava às costas o peso de vida ou morte.

Os recolhedores e ceifeiros não pertenciam, de forma nenhuma, à mesma classe no mundo antigo. Os recolhedores seguiam atrás dos ceifeiros para ajuntar tudo que estes deixassem em seu rastro. Precisavam de permissão do dono das terras para recolher as sobras nos campos, por isso dependiam de encontrar alguém compassivo — ou, pelo menos, temente a Deus.

Aqui reside a tensão do livro de Rute. Um proprietário de terras chamado Boaz avista uma jovem ajuntando espigas de cereais deixadas pelos ceifeiros e pergunta sobre ela. Note como o fato de ela ser estrangeira é mencionado duas vezes na resposta do ceifeiro, para que a informação não passe despercebida por Boaz: "É uma moabita que voltou de Moabe com Noemi" (Rt 2.6, NVI).

O generoso Boaz convida Rute a recolher exclusivamente de seus campos, e depois vai ainda mais longe. Emprega sua autoridade e privilégio para garantir que ela não seja importunada. "Avisei os homens para não a tratarem mal. E, quando tiver sede, sirva-se da água que os servos tiram do poço" (Rt 2.9).

Na hora da refeição, a trama se adensa ao ponto de creme de leite. Boaz convida Rute a se servir de seu pão junto aos ceifeiros e molhá-lo no vinho da casa. Ela se senta entre os ceifeiros, que recebem das mãos de Boaz o cereal tostado e o repassam a Rute, o que ninguém deixa de notar. Quando ela se levanta para recolher mais espigas, ele lhe concede de imediato acesso mais amplo ao campo.

> Quando Rute voltou ao trabalho, Boaz ordenou a seus servos: "Permitam que ela colha espigas entre os feixes e não a incomodem. Tirem dos feixes algumas espigas de cevada e deixem-nas cair para que ela as recolha. Não a atrapalhem!".
>
> Rute 2.15-16

A tinta traça um elo instantâneo entre Rute e Boaz, enlaçando o casal numa cena clandestina na eira, onde esperanças em relação a um casamento são trocadas ao badalar da meia--noite, como na história da Cinderela (Rt 3).

Como em qualquer grande história, surge uma ameaça à união dos dois. Um parente mais próximo que Boaz tem o direito legal de resgatar as terras e se casar com Rute a fim de perpetuar o nome da família e reivindicar a herança (Rt 4.5). Para o alívio do leitor, esse homem recusa a oportunidade, e Boaz assume o papel de resgatador da família.

Os sinos anunciam o casamento, a viúva moabita se torna a noiva e o dono das terras se torna rico de coração. A história termina de forma épica, com o filho do novo casal aninhado no colo da avó. Que ninguém nunca mais acuse Noemi de ser uma mulher amargurada.

Eles dão à criança o nome de Obede. Obede cresce e se torna pai de Jessé. Jessé cresce e se torna pai de Davi, que cresce e conquista o trono de Israel. Muitos séculos mais tarde, Davi tem um descendente chamado José. José é noivo de Maria, que dá à luz em Belém o Filho do Altíssimo, concebido pelo Espírito Santo. Jesus descende de forma direta da linhagem de um resgatador de famílias, um belemita chamado Boaz, e de uma mulher moabita que este encontrou recolhendo espigas em seus campos.

Talvez você esteja familiarizado com o nome da nova sogra de Rute. É Raabe (Mt 1.5). A história não poderia ser mais maravilhosa, nem a linhagem mais significativa. É alguma surpresa que José fosse o tipo de homem que era? A crença em novos começos estava em seu sangue.

O que Rute procurou recolher era cevada para pôr comida na mesa. Era movida por uma necessidade imediata: uma refeição. Contudo, aquilo de que ela precisava era, no fim das contas, bem mais do que poderia ter sonhado. Ela recebeu uma segunda chance. Uma nova vida. Redenção. Graça. Uma posição na linhagem mais importante da história humana.

Observe os cantos de nossos campos, e verá pessoas que nossa sociedade alega que não são relevantes. Aos olhos de Deus, porém, cada alma possui valor inestimável. E essas pessoas nos cantos do campo estão famintas. Famintas de amor. Famintas de afeto. Famintas de saber que Deus existe e se importa. E eu me pergunto: nós nos lembramos dos cantos ao realizar a colheita? Servimos de forma intencional às pessoas nos cantos?

Recolhemos essa graça dos campos do Lavrador. "Deem de graça", instruiu Jesus, "pois também de graça vocês receberam" (Mt 10.8).

+ + +

RECOLHIMENTO

O Evangelho de João nos informa que "a lei foi dada por meio de Moisés" e que "a graça e a verdade vieram por meio de Jesus Cristo" (Jo 1.17). Entretanto, para que os agraciados não interpretem mal essas palavras, a graça não quebrou a lei de Moisés, como se fossem tábuas de pedra estilhadas em fragmentos sem valor. A graça libertou a lei do amor de seus limites.

Essa verdade é ilustrada de maneira vívida na parábola de Jesus em Lucas 10.25-37. Um especialista da lei tenta pôr Jesus à prova ao questioná-lo sobre a vida eterna. De forma magistral, Jesus desvia a conversa para que o especialista recite a lei real do amor a Deus e ao próximo.

Saboreando o momento sob os holofotes, o homem tenta justificar as próprias ações, fazendo a Jesus a pergunta crucial: "E quem é o meu próximo?".

E aí, Jesus, até que ponto vai esse lance do amor?

De súbito, o ouvinte — digamos, por enquanto, que esse seja você — é transportado para dentro da história. Você se torna o protagonista não solicitado, viajando por uma notória estrada de Jerusalém a Jericó no vale do Jordão. Suas passadas se apressam, as sandálias estapeando a terra. Você chuta a poeira em seu trajeto de 762 metros acima do nível do mar até o Jordão, alguns 244 metros abaixo.[1]

Eles o cercam antes que você perceba. Você não tem certeza de quantos eles são, mas são numerosos o bastante para subjugá-lo. O bastante para bloquear o sol. O bastante para desferir o que lhe dá a sensação de ser uma centena de golpes.

"Aqui, levem as moedas!", você implora, buscando a bolsa nas dobras de suas vestes. No entanto, eles não param até levarem suas roupas também. Seu corpo rola como uma boneca de pano quando eles lhe arrancam a túnica de sob as costas.

Você tem certeza de que vai morrer ali. Sua respiração é fraca, pois uma costela quebrada por pouco não trespassou um dos pulmões. Pelas fendas das pálpebras inchadas, você avista alguém se aproximando pela estrada. Graças a Deus, é um sacerdote — um descendente de Arão. Nota-se pelas roupas. Você tenta mover os lábios para emitir algum som. Nada sai. Ele o vê, porém. Graças a Deus, ele o vê.

Então, os passos dele se desviam para evitá-lo. Ele está cansado, você sabe, e ansioso para chegar à casa dele depois de servir seu turno no templo. Manter a posição social é extenuante.

A essa altura, o sangue de um ferimento na cabeça se mistura à terra e se transforma em lama sob sua face. Você pisca, tentando se manter consciente.

Outra silhueta surge na estrada. Outro homem de piedade notável. Espere aí — será que ele pensa que você está morto? É por isso que está passando pelo outro lado? Será que ele receia que você esteja impuro?

Você tenta se mexer. Solta um gemido. Acredita que ele o ouviu.

Ele acelera o passo.

Você fecha os olhos à espera da morte. Alguém o está carregando — um anjo, talvez. Vai ver essa é a sensação da morte. Suas pálpebras estão seladas pelo sangue coagulado.

Seu corpo é deitado num cobertor. Água morna é derramada em seus cabelos e escorre em filetes por seu rosto.

Você sente a toalha — suave, gentil, cuidadosa. Você escuta uma voz murmurando palavras de compaixão. Sente o aroma de óleo e vinho. Uma mão lhe desliza sob a cabeça, a outra a enfaixa com gaze. Voltas e voltas, bem devagar. Você se sente tonto e nauseado, mas tenta falar. Quer perguntar:

RECOLHIMENTO

— Eu o conheço?

— Descanse — responde ele.

Ao retomar a consciência, você escuta duas vozes. A primeira ordena:

— Cuide deste homem. Se você precisar gastar a mais com ele, eu lhe pagarei a diferença quando voltar.

Você tenta identificar o sotaque. Sabe que não pertence a ninguém que conheça, a ninguém que já tenha desejado conhecer.

A outra voz anui.

Você só acorda por completo horas mais tarde, quando o dono da hospedaria vai ver como você está.

— O samaritano prometeu que voltaria logo — informa ele.

Samaritano. Você nunca sequer pronunciou essa palavra sem cuspir. Você fita o teto, absorvendo o choque, o aroma de óleo e vinho ainda pairando no ar.

Jesus interrompe a cena que se desenrola em sua imaginação.

— Qual desses três você diria que foi o próximo do homem atacado pelos bandidos?

Interpretando o papel do jovem especialista na lei, tudo o que você tem a dizer é:

— Aquele que teve misericórdia dele.

Jesus lhe replica:

— Vá e faça o mesmo.

+ + +

Talvez seja justo afirmar que nunca houve limites que Jesus não fez questão de desafiar. Ele desafiou esse também, recusando-se a traçar uma linha divisória, mesmo quanto ao extremo de amar um próximo de quem não se gosta.

Vocês ouviram o que foi dito: "Ame o seu próximo" e odeie o seu inimigo. Eu, porém, lhes digo: amem os seus inimigos e orem por quem os persegue. Desse modo, vocês agirão como verdadeiros filhos de seu Pai, que está no céu. Pois ele dá a luz do sol tanto a maus como a bons e faz chover tanto sobre justos como injustos. Se amarem apenas aqueles que os amam, que recompensa receberão?

Mateus 5.43-46

Ame a Deus.
Amem-se uns aos outros.
Ame o próximo.
Ame o inimigo.

Esse é um bom resumo. No censo meticuloso de Cristo, a comunidade eximida do amor dos cristãos é composta por uma população com número de habitantes igual a zero.

— Senhor, mas e quanto aos...?

Ame-os.

— Mas e aqueles perversos...?

Ame-os.

— Mas e aqueles odiosos...?

Ame-os.

— Mas e aqueles descrentes...?

Ame-os.

E isso não é só conversa fiada sobre amar outras pessoas. Jesus não se impressiona pelo amor em palavras que não se traduz em ações (1Jo 3.18). Jesus entende que, em se tratando de amor, a confissão sem ação é fingimento. Para ele, a distância entre a propaganda e a hipocrisia é de centímetros escorregadios. Quando agimos, mas apenas com o propósito

SÓ DEUS É CAPAZ DE *SALVAR O MUNDO*. NO ENTANTO, PODEMOS SERVIR--LHE UMA BANDEJA DE FRUTOS.

de sermos vistos, ele não se interessa em recompensar o espetáculo (Mt 6.1-4). É simplesmente impossível ludibriar Jesus.

Entretanto, ele demonstra avidez para recompensar a fidelidade. Por todo o Novo Testamento, ele salpicou promessas de recompensas para quem amar como ele amou, servir como ele serviu, doar como ele doou, e perdoar como ele perdoou. E o que não for recompensado em nossa vida temporal será recompensado em nossa vida eterna e desfrutado para sempre. Ele apenas não tem estômago para fingimentos.

Ame a Deus. Ame as pessoas. É para isso que estamos aqui. "O Espírito produz este fruto: amor" (Gl 5.22). Sem amor, todos os frutos são de plástico. O fruto de nossa vida, em todas as suas formas e incontáveis graças, é mais verdadeiro para a Videira quando se estende com generosidade e se torna acessível a estranhos e forasteiros de todo tipo.

Nosso fruto é mais doce para a Videira quando presta um favor direto ao desfavorecido e ao órfão, à viúva e ao pobre. Nosso fruto reflete melhor a Videira quando deixa espaço de forma deliberada junto aos cantos — para os marginalizados, os encurralados, os oprimidos, os maltratados, os assediados e os agredidos. Foi esse o caminho que Jesus trilhou, e é isso que Jesus buscou. "Vivemos como Jesus viveu neste mundo" (1Jo 4.17).

A parte desafiadora é que nada desse fruto serve como moeda de troca para conquistar a evangelização dos recolhedores. Ele é gratuito. Sem compromissos. Está lá para quem quiser levar. Em resumo, devemos ser agentes do bem no mundo, não corretores profissionais para Jesus. Não se engane, porém: quando resistimos e fazemos o bem, *esse* será nosso testemunho.

Nada é mais importante do que as pessoas chegarem a Jesus, mas só o Espírito é capaz de conduzi-las. Creio na vida eterna, no céu e no inferno. Creio que só Jesus é o caminho, a verdade e a vida. Creio que cada um de nós é chamado para compartilhar nossa fé. Creio que a missão da igreja é ir aos confins do mundo.

No entanto, ninguém é conquistado para Cristo numa barganha.

+ + +

Meu querido irmão mais velho é budista. Caso você se pergunte se é só uma fase passageira, ele é budista há quarenta anos. É um homem brilhante que passou toda a carreira até aqui no mundo do teatro musical. Quando começou a trabalhar na cidade de Nova York, ele e a esposa foram apresentados ao budismo e o adotaram.

Sinto-me relutante em escrever muito sobre as crenças de meu irmão por causa do instinto protetor que tenho em relação a ele. Para ser franca, não quero que cristãos, mesmo que bem-intencionados, o assediem, o explorem ou busquem sua amizade num esforço para convertê-lo. Ele é inteligente demais para isso, e nada seria mais contraproducente.

RECOLHIMENTO

Na verdade, foi um caso de assédio bem-intencionado que incitou hostilidades entre nós, interrompendo nossas comunicações por anos com exceção das mensagens mais superficiais. Um membro da família passou por um despertar da fé, e se fixou na conversão de meu irmão. Eu sabia que não daria certo, mas as consequências foram piores do que eu temia. Certo dia, ele anunciou para mim — e sei que ele falou a sério: "Prefiro ir para o inferno a imaginar que ele esteja certo".

Num esforço para poupar nosso relacionamento, decidimos tirar da mesa qualquer discussão sobre religião. Isso durou por anos. O problema era que nossas crenças espirituais são tão integrais à nossa vida que, ao evitá-las, nos tornamos rígidos e desajeitados, e transformamos um ao outro em paródias.

Meu irmão mais velho e eu somos parecidos. Nossas personalidades são compatíveis. Temos gostos similares. Adoramos poesia, música e descobrir novos restaurantes e receitas. Ele adora cozinhar, e eu adoro comer. Gostamos do mesmo tipo de livros e filmes. Apreciamos conversar e apreciamos o silêncio. Vemos graça nos mesmos absurdos. No entanto, em algum ponto ao longo do caminho, muitos de nossos aspectos em comum se perderam no redemoinho de nossos contrastes.

No telefone, outro dia, cansada de nossas fronteiras autoimpostas, pedi a ele: "Quero aprender mais sobre suas crenças. Que livros você me recomendaria?".

Naquele dia, os muros começaram a desmoronar. Com o passar do tempo, libertamos um ao outro para que conversássemos do mesmo modo como conversamos com os demais. Sem regras. Sem embaraços. Menciono Jesus em nossas conversas com ele, assim como eu faria com qualquer outro. Ele se refere aos cânticos e ao que ele tem realizado em sua comunidade budista, assim como ele faria com qualquer outro.

Nos últimos anos, ele vem observando minhas tentativas, inadequadas como são, de falar contra o machismo, a misoginia, o racismo e a supremacia branca. Ele sabia que minhas convicções eram resultado direto de minha crença em Jesus e nas Escrituras. Ele testemunhou a carga de críticas negativas despertada por minha franqueza e me contatou para oferecer sua simpatia. Para ele, foi uma revelação que lhe abriu os olhos quando expliquei que, pelo menos, eu não estava sozinha naquilo, e que um número crescente de cristãos com convicções similares começava a se manifestar mais.

Ele não adotou o cristianismo, mas posso lhe garantir isto: ele não pensa mais que Jesus é um canalha. Que Deus me ajude, não consigo deixar de pensar que isso seja um progresso. No passado, ele via os cristãos, em especial os evangélicos, como o povo mais egoísta do mundo, focado apenas nos próprios interesses. O que falou mais alto ao meu irmão descrente foi ver cristãos agindo de uma maneira que não era egoísta. Ele se surpreendeu ao descobrir que a batalha por justiça não representa um desvio da doutrina cristã. Na realidade, essa batalha brota de forma direta daquilo em que acreditamos.

Numa sociedade cada mais povoada por "nenhum dos anteriores" (aqueles que alegam não ter nenhuma afiliação religiosa), cada vez mais a resposta dos cristãos consiste em pressionar em direção aos pólos do silêncio mortal ou da atitude defensiva em alto volume. Contudo, há outro caminho. É possível amar de fato e fazer o bem a outros, sem ostentar nem esconder nossa identidade. Somos o povo de Jesus, aquele que declarou: "Quando vocês produzem muitos frutos, trazem grande glória a meu Pai e demonstram que são meus discípulos de verdade" (Jo 15.8). Não somos convocados para ser exibidos, mas não se engane: somos convocados para exibir algo.

Pedro conheceu as dificuldades de construir a igreja em tempos arriscados. Ele sabia, também, o que fazer em meio à vasta paisagem de céticos:

> Procurem viver de maneira exemplar entre os que não creem. Assim, mesmo que eles os acusem de praticar o mal, verão seu comportamento correto e darão glória a Deus quando ele julgar o mundo.
>
> 1Pedro 2.12

> É da vontade de Deus que, pela prática do bem, vocês calem os ignorantes.
>
> 1Pedro 2.15

> Portanto, se vocês sofrem porque cumprem a vontade de Deus, continuem a fazer o que é certo e confiem sua vida àquele que os criou, pois ele é fiel.
>
> 1Pedro 4.19

Em sua carta, Pedro reconhece uma reversão significativa. Ele e seus colegas seguidores de Jesus haviam se tornado os "peregrinos e estrangeiros" (1Pe 2.11). O fruto é estocado nos céus em nossas comunidades cristãs. Temos dons o suficiente, abundância o bastante para encher os braços de incontáveis recolhedores nos cantos de nossos campos. Será que a Antiga Aliança excedeu a Nova Aliança em compaixão? A cruz torna essa possibilidade ridícula. Será que nossa liberdade em Cristo nos libertou da lei de amar os próximos e estrangeiros entre nós? É claro que não. Será que nos safamos da obrigação de proteger os vulneráveis e desamparados? De jeito nenhum.

A verdade é que não somos muito diferentes de Boaz. Temos a linhagem divina do resgatador de famílias correndo em nossas veias.

Lá no fundo, todos queremos levar o bem a outras pessoas. Sabemos que, no passado, também fomos peregrinos. Também fomos escravos. Também fomos pobres de espírito. Agora, porém, em Cristo, encontramos um lar. Fomos libertados. Fomos enriquecidos.

Talvez não sejamos proprietários, chefes ou gerentes, e talvez não sejamos abastados ou famosos, mas possuímos mais autoridade do que reconhecemos. Nós a empregamos em nossa vizinhança, na escola de nossos filhos, em nossa igreja, em questões cívicas, em questões sociais e nas redes sociais. Em qualquer lugar que tenhamos influência, exercemos uma dose de autoridade.

Ao exercer essa autoridade como imitadores de Cristo, não o fazemos para intimidar outros em nome de Jesus. Em vez disso, agimos como influenciadores do bem, identificáveis pela bondade de Cristo. Talvez não enxerguemos a similaridade com Boaz no espelho, mas nos assemelhamos a ele sempre que utilizamos a autoridade e influência que Deus nos confiou para estender nossos privilégios aos desafortunados e para proteger os vulneráveis de maus-tratos e abuso.

Examine seus campos com um olhar renovado. Lá nos cantos, você verá os recolhedores. Uma vez que seus olhos se ajustarem, não será mais possível *não* os ver. Alguns de nós foram doutrinados em igrejas e círculos teológicos para temer o próprio mundo que Cristo nos mandou invadir com seu evangelho.

Não estou sugerindo que estejamos livres do risco de sermos influenciados pelo mundo. Não estamos. Contudo, talvez seja hora de repensar nosso lema equivocado: *Nunca aja como um serviçal do mundo.*

Se Boaz interpretou algum papel na história de Rute, foi o de serviçal passando a bandeja de frutas. Talvez serviçal do mundo seja bem o que devamos nos atrever a ser — mas sem carnalidade, frieza ou concessão. O mundo não precisa de mais materialidade. Precisa ser nutrido.

Só Deus é capaz de salvar o mundo. No entanto, podemos servir-lhe uma bandeja de frutos.

Continuem a servir.

19
Banquete

A ceia está quase pronta.

Não sou grande cozinheira. Não se trata de falsa modéstia, pois sou, na verdade, uma confeiteira formidável. No entanto, sou apenas passável como cozinheira. O único motivo por que alguns membros de minha família contestariam essa autoavaliação é que, nestes dias, eu me atenho na maior parte ao que sei cozinhar bem.

Para a maioria de nós, cozinhar é, antes de mais nada, um meio de obter o que desejamos. Para mim, porém, nas ocasiões em que mais aprecio cozinhar, o objetivo não é um estômago cheio. É uma família barulhenta composta de múltiplas gerações, sentadas em torno da mesa de minha sala de jantar. É uma seção transversal do mesmo sangue, seja porque nasceram nela, casaram-se com ela, foram acolhidos por ela ou arrastados para dentro dela.

São as pessoas passando os pãezinhos adiante e perguntando: "Quem é que está comendo toda a manteiga?". É sentar-se entre os netos e saber com segurança inabalável que Willa, no momento em que se cansar do que estiver no prato dela, vai descer da cadeira alta, vir engatinhando para meu colo e comer o que está no meu prato. É saber que ela vai destroçar a caçarola de vagem a tal ponto que, em menos de um minuto, esta se transformará num mingau irreconhecível, e teremos de preparar outro prato às escondidas.

Nos grandes feriados, gosto de escrever um cronograma na lousa da cozinha com as horas exatas, computados os minutos, para tudo, desde tirar a carne do refrigerador até preparar o chá, fatiar os limões e encher os copos com gelo. Do que mais gosto é quando, uma hora antes de servir a comida, meu pessoal começa a irromper pela porta como bezerros fugindo do estábulo. Adoro ouvir a série rouquenha de: "Nossa, que cheiro delicioso!".

O que me falta em termos de habilidade culinária eu compenso com alho.

Abraço cada pessoa bem apertado, e indico-lhe os petiscos no balcão da cozinha. São sempre pratos simples — em geral, bolachas salgadas e queijo, ou salgadinhos e molho picante. Se você perguntasse à minha família se eles gostariam de se sentar à mesa no instante que entrassem pela porta, todos os adultos responderiam que não. Você sabe tão bem quanto eu que um pouco de expectativa é tão essencial ao prazer pleno de uma grande refeição quanto o próprio ato de ingeri-la. Um dos motivos por que queremos conhecer o cardápio com antecedência é para preparar e deleitar as papilas gustativas.

+ + +

Jesus não é de depreciar o valor da expectativa de uma boa refeição. "Estava ansioso para comer a refeição da Páscoa com vocês antes do meu sofrimento", admitiu ele aos discípulos apenas horas antes de ser preso (Lc 22.15). Que Jesus conseguisse pensar em saborear algo, sabendo o que estava por vir, é um testemunho de seu caráter único.

As Escrituras não oferecem nenhuma indicação de que Jesus tenha brincado com a comida naquela noite, mas indica algo fascinante em relação a certo tipo de jejum. Reposicionarei a lupa um pouco para trás para que você enxergue o ponto dentro de seu contexto.

> Quando chegou a hora, Jesus e seus apóstolos tomaram lugar à mesa. Jesus disse: "Estava ansioso para comer a refeição da Páscoa com vocês antes do meu sofrimento. Pois eu lhes digo agora que não voltarei a comê-la até que ela se cumpra no reino de Deus".
> Então tomou um cálice de vinho e agradeceu a Deus. Depois, disse: "Tomem isto e partilhem entre vocês. Pois não beberei vinho outra vez até que venha o reino de Deus".
>
> Lucas 22.14-18

Que isso sirva de grande consolo àqueles que, por qualquer motivo, decidiram se abster de vinho. Você não precisa sentir vergonha entre aqueles com liberdade de participar. A verdade é que você está em boa companhia. Em expectativa a acontecimentos futuros, Jesus escolheu, aparentemente, a última refeição final antes de morrer como o momento para começar um período de abstinência.

Várias Escrituras nos garantem refeições na próxima vida. Não vou fingir que não me sinto aliviada por essa revelação. Alguns de nós talvez argumentem que o paraíso jamais seria um paraíso sem comida, mas não temos que especular. A informação sobre um grande banquete nos é vazada no Novo Testamento:

> Em seguida, ouvi outra vez algo semelhante ao som do clamor de uma grande multidão, como o som de fortes ondas do mar, como o som de violentos trovões:

"Aleluia!
Porque o Senhor, nosso Deus, o Todo-poderoso, reina.
Alegremo-nos, exultemos
e a ele demos glória,
pois chegou a hora do casamento do Cordeiro,
e sua noiva já se preparou.
Ela recebeu um vestido do linho mais fino,
puro e branco".

Porque o linho fino representa os atos justos do povo santo.
E o anjo me disse: "Escreva isto: Felizes os que são convidados para o banquete de casamento do Cordeiro". E acrescentou: "Essas são as palavras verdadeiras de Deus".

Apocalipse 19.6-9

Como é sublime que Jesus tenha escolhido o apóstolo João para registrar essas palavras tão perto da conclusão do cânone. Parece uma maneira apropriada de fechar o ciclo completo da ideia do banquete de um casamento divino, já que o milagre de abertura no Evangelho de João ocorreu no casamento em Caná. Para o discípulo amado, banquetes de casamento foram o início e o fim de uma era — numa ponta, a glória do Noivo revelada; na outra, o papel da noiva cumprido.

"Felizes os que são convidados para o banquete de casamento do Cordeiro."

Trata-se de uma história verdadeira. João nos assegurou disso ao escrever: "Essas são as palavras verdadeiras de Deus" (Ap 19.9). Compareceremos a um banquete de casamento que superará todos os banquetes de casamento, até mesmo aquele famoso em Caná. Vamos nos alegrar e exultar, afirmou João. E, depois de toda a nossa autoconsciência e insegurança, não me diga que exultar não será revigorante. Conheço

O QUE APRENDI COM AS VIDEIRAS

algumas pessoas que eu gostaria de flagrar no ato de exultar. É claro, serei gentil com elas quando isso acontecer. Ficarei feliz por elas. Ficarei feliz por mim mesma.

Seremos mais felizes do que somos capazes de imaginar. Teremos de ser, para Paulo considerar, sob inspiração divina, "que nosso sofrimento de agora não é nada comparado com a glória que ele nos revelará mais tarde" (Rm 8.18). Só um tolo negaria que os sofrimentos de agora sejam titânicos e desmoralizantes.

Tenho uma amiga que passou por doze abortos espontâneos. O casal mais feliz que já conheci se mudou para uma casa nova alguns meses atrás. O marido, ao depositar uma das últimas caixas no chão lustroso do novo *hall* de entrada, tinha o rosto um tanto corado e a testa úmida, por isso a esposa lhe buscou um copo de água. Quando ela voltou, ele já estava ausente de seu corpo e presente com o Senhor — simples assim. Em tempos recentes, orei por uma jovem de fé poderosa que havia acabado de receber o diagnóstico da recorrência de um câncer cerebral. Ela quer continuar a viver aqui, neste gramado descontente de que estamos sempre reclamando.

Não entendemos o que receberemos na outra vida. Creio que não é para entendermos. Se compreendêssemos de verdade a magnificência do que está por vir, acabaríamos ávidos demais por partir.

Paulo recebeu um vislumbre de para onde iremos, e testemunhou sobre o dilema. As traduções mais literais de Filipenses 1.23-24 são aqui incomparáveis, Paulo escreveu: "Mas de ambos os lados estou em aperto, tendo desejo de partir e estar com Cristo, porque isto é ainda muito melhor. Mas julgo mais necessário, por amor de vós, ficar na carne" (RC). Às vezes, nós, pessoas de fé, nos perguntamos por que somos tão sujeitos a uma vida de contorções neste mundo. É porque estamos em aperto entre dois desejos, essa é a razão. É uma situação bem apertada.

Penso que Deus nos fornece indicações ocasionais de como seremos felizes quando nos unirmos a ele. Passamos por momentos em que a bolha da loucura temporal é perfurada — instantes em que o êxtase eterno parece vazar um pouco. Esses breves vazamentos de êxtase são imprevisíveis. Caso não fossem, esperaríamos que surgissem a cada experiência humana significativa, como em formaturas, nascimentos, batismos e cerimônias de premiação. Se sua experiência for semelhante à minha, porém, esses vislumbres de êxtase fugaz do outro mundo tendem a despontar em momentos ordinários, quando a gente baixa a guarda.

+ + +

Seria negligência de minha parte concluir este livro sem lhe contar que Keith e eu temos um novo filhote. Outra perdigueirinha, branca com três manchas marrons e inúmeras pintas. Possui orelhas de elefante e patas gigantescas como as de seus predecessores, que nos arruinaram os quintais e depois nos arruinaram o coração. Keith deu aos outros cães nomes de rios. Essa se chama Creek [Riacho], pura e simplesmente.

Estávamos sentados nos degraus da varanda, vendo-a correr, rolar e dar cambalhotas na grama, quando aquela bola saltitante de pelos salpicados se imobilizou por completo de repente e assumiu a pose de aponte. Estava reta como uma flecha, da ponta do nariz até a cauda cortada, o olhar fixo numa vistosa borboleta amarela.

Rimos como se não tivéssemos nenhuma preocupação neste mundo, como se não sentíssemos as primeiras brisas do inverno contra o lado norte do rosto, como se não fizesse quase um ano que os coiotes arrancaram a vida de nossa perdigueira semicega de nove anos, a quem amávamos tanto.

O cérebro de uma borboleta não é muito maior que a cabeça de um alfinete, mas, juro para você, estou convencida de que o inseto resolveu brincar com Creek. Esvoaçava e flertava com nossa minúscula perdigueira como uma fada Sininho pintada em lápis de cor amarelo, mergulhando para pousar em seu focinho, para em seguida, quando Creek abocanhava o ar, decolar de novo de forma travessa.

Creek desistiu de apontar e saltou no ar repetidas vezes para capturar o par de asas. A cadelinha chegou tão perto de dar uma pirueta quanto qualquer criatura de quatro patas que você já tenha visto. Por apenas um momento, Keith e eu fomos tomados de êxtase, rico e denso como sorvete de pêssego caseiro, despertando mais uma vez o coração de duas pessoas que nunca haviam tido o luxo de dez minutos num mundo de conta de fadas para acreditar que, em algum lugar além do arco-íris, o céu é *mesmo* azul. Naquele dia eterno e sem nuvens, há um mundo que, enfim, chamaremos de perfeito.

Penso que o riso é a esperança audível. Não contém palavras, é claro, o que é bem apropriado — talvez por falar uma

O RISO É A *ESPERANÇA AUDÍVEL.*

linguagem que não conhecemos ainda. Somos mais resistentes do que deveríamos ser, e aqui me refiro a fatores bem mais sérios que a perda de um cão. Não conheço muitas pessoas de idade generosa que não tenham sofrido algo forte o suficiente para lhes roubar o riso da vida.

Entretanto, na maior parte dos casos, mais cedo ou mais tarde, uma risada brota de nosso peito — e, em geral, por causa de algo insignificante. O que importa não é do que rimos, afinal. É o fato de que rimos, bem aqui no mesmo ar de nosso desespero. Nosso interior delatou uma esperança, por mais disfarçada que estivesse.

A esperança não ocorre num vácuo. Há um conhecimento oculto inerente à esperança. A fim de existir e persistir, a esperança sabe de algo real, por mais frágil que possa parecer. Esse conhecimento é o que chamamos de fé. E a fé não é insubstancial. Não é um desejo feito a uma estrela. É uma convicção perseverante naquilo que não conseguimos ver.

Sabemos que um mundo melhor está a caminho, embora não saibamos quando chegará e nem mesmo os melhores teólogos saibam explicar bem como. Sabemos que um Deus eterno não se deterá até que tudo complete o grande ciclo. Sabemos, porque foi o que ele prometeu. Assim como Deus redimiu os seres humanos da maldição do pecado por meio da cruz, ele redimirá o mundo da maldição do pecado que levou o solo a se rebelar contra o trabalho de mãos humanas.

Deus aludiu a esse dia há muito tempo por meio do profeta Oseias. Ele descreve a chegada do reino dos céus, quando guerras cessarão e a paz reinará: "Eu me casarei com [meu povo] para sempre, e lhe mostrarei retidão e justiça, amor e compaixão. Serei fiel a você" (Os 2.19-20).

"Naquele dia, eu responderei",
diz o SENHOR.
"Responderei aos céus,
e os céus responderão à terra.
A terra responderá aos clamores
do trigo, das videiras e das oliveiras.
E eles, por sua vez, responderão:
'Deus semeia!'.
Então semearei uma safra de israelitas
e os farei crescer para mim mesmo.
Mostrarei amor
por aquela que chamei 'Não Amada'.
E àqueles que chamei 'Não Meu Povo',
direi: 'Agora vocês são meu povo'.
E eles responderão:
'Tu és nosso Deus!'".

Oseias 2.21-23

Essa dança de respostas é hipnotizante. Deus responderá aos céus, os céus responderão à terra, e a terra responderá ao trigo, às videiras e às oliveiras. E o trigo, as videiras e as oliveiras responderão: "Deus semeia!".

Essa foi a maneira poética que o profeta encontrou para expressar uma reatividade ininterrupta — tudo trabalhando junto como planejado originalmente. Sem mais frustrações. Sem mais espinhos crescendo onde pensávamos ter plantado milho.

Do mesmo modo, o livro gigantesco e magistral de Isaías ruma para sua conclusão com estes versos a respeito da nova criação:

Vejam! Crio novos céus e nova terra,
e ninguém mais pensará nas coisas passadas.

BANQUETE

Alegrem-se e exultem para sempre em minha criação!
Vejam! Criarei Jerusalém para ser um lugar de celebração;
seu povo será fonte de alegria.
Eu me alegrarei por Jerusalém
e terei prazer em meu povo.
Nela não se ouvirá mais
o som de pranto e clamor. [...]
Naqueles dias, habitarão nas casas que construíram
e comerão dos frutos de suas próprias videiras.
Invasores não habitarão em suas casas,
nem lhes tomarão suas videiras.
Pois meu povo terá vida longa como as árvores;
meus escolhidos terão tempo para desfrutar
tudo que conseguiram com grande esforço.

Isaías 65.17-19,21-22

Quando deparei com essas palavras em minha busca por referências bíblicas a vinhedos, fitei-as por um longo tempo. Bem ali, no contexto do Antigo Testamento de uma novíssima criação, em que as pessoas teriam comida pronta da melhor qualidade, é curioso que Deus se refira ao plantio de vinhedos. Por que seria necessário plantar num mundo perfeito? Uma explicação gloriosa é que o deleite de Deus não está apenas no fruto; ele não está interessado apenas em resultados. Ele exulta com o processo inteiro de produção de frutos. Aprecia a participação alegre daqueles feitos à sua imagem, a *Imago Dei*, num trabalho divino. Um trabalho sublime.

O Novo Testamento termina com um ângulo ligeiramente diferente ao descrever novos céus e nova terra, com a reluzente Nova Jerusalém. A árvore da vida, apresentada em Gênesis 2, é destacada no capítulo final do Apocalipse. Foi plantada

O QUE APRENDI COM AS VIDEIRAS

com perfeição ao lado do rio cristalino da vida que flui a partir do trono de Deus.

Esta é uma parte maravilhosa da cena: é dito que a árvore da vida "produz doze colheitas de frutos por ano, uma em cada mês" (Ap 22.2). Não se trata de um fruto instantâneo, que surge do nada; em vez disso, a árvore produz frutos a cada mês. Deus é capaz de gerar frutos de qualquer maneira que quiser, e na perpetuidade gloriosa — naquele doce porvir, quando nos encontraremos na bela praia — o que ele quer é uma rotação incessante de produção de frutos.

Deus gosta de ver as coisas crescerem.

E nós também, mas é justo acrescentar que há algo que apreciamos mais do que crescer: comer. "Felizes os que são convidados para o banquete de casamento do Cordeiro" (Ap 19.9).

Depois de tudo que Isaías nos cantou em todas essas páginas, parece adequado que ele cante mais uma canção. Não há como combinar esta a uma melodia em estilo *country*, como fizemos com a canção do vinhedo em Isaías 5. Esta exige elevada música coral, algo na linha do *Messias* de Handel:

Em Jerusalém, o Senhor dos Exércitos oferecerá
  um grande banquete para todos os povos do mundo.
Será um banquete delicioso,
  com vinho puro e envelhecido e carne da melhor qualidade.
Ali removerá a nuvem de tristeza,
  a sombra escura que cobre toda a terra.
Ele engolirá a morte para sempre;
  o Senhor Soberano enxugará todas as lágrimas!
Removerá para sempre todo insulto,
  contra sua terra e seu povo.
O Senhor falou!
  Naquele dia, o povo dirá: "Este é nosso Deus!

BANQUETE

Confiamos nele, e ele nos salvou!
Este é o SENHOR, em quem confiamos;
alegremo-nos em seu livramento!".

Isaías 25.6-9

Sem mais mortes. Sem mais desgraças. Sem mais lágrimas.
Sem mais mortalhas. Essa descrição se assemelha muito ao final
do Apocalipse, com ceia e tudo. Se as duas passagens se referem
ao mesmo ponto no tempo, temos os alimentos mais ricos e os
vinhos mais finos à nossa espera. Talvez eu esteja errada, mas
suspeito que a ceia de casamento registrada em Apocalipse 19 é
quando Cristo voltará a levantar o copo (Lc 22.17-18).

"O reino dos céus pode ser ilustrado com a história de um
rei que preparou um grande banquete de casamento para seu
filho", ensinou Jesus em uma de suas parábolas (Mt 22.2). Algum dia, todos nós que estamos em Cristo nos juntaremos
em torno de mesas enormes, ante um banquete exuberante
preparado com primor em cozinhas divinas.

Ninguém será deixado de fora.
Ninguém se verá sozinho.
Ninguém será anônimo.
Ninguém será desconhecido.
Ninguém terá outro lugar para ir.
Estaremos finalmente em casa.

+ + +

Minha amiga Susan costuma dizer que o paraíso, não importa como seja, será o melhor tudo possível. É o que ela responde a todo tipo de perguntas, como "Haverá cães no paraíso?"
e "Haverá criancinhas?" e "Poderemos comer queijo?".

"Não faço ideia", replica ela, "mas pode contar com isto: Deus vai garantir que será o melhor tudo possível."

Penso que Deus não se importa com suposições, desde que a chamemos pelo que são. Vou lhe dizer como imagino a cena. Os copos são servidos — por anjos, talvez — e nenhuma das pessoas sendo servidas pousa a mão sobre a borda do cálice num gesto proibitivo. É tarde demais para se abster. Tarde demais para não celebrar. Tarde demais para fazer besteira. Tarde demais para pileques. A exultação tomará o lugar do pileque.

Em minha imaginação, João se ergue da cadeira para propor um brinde — João Batista, quero dizer. Penso que precisa ser ele, pois ele é oficialmente "o amigo do noivo" (Jo 3.29) e, na tradição a que estou mais habituada, é esse que se encarrega do brinde. Talvez ele bata no cálice com um talher para chamar a atenção de todos os convivas no salão do banquete.

Delicia-me em particular a ideia de que o Batista talvez esteja levantando um copo de vinho pela primeira vez na vida. Nenhuma gota lhe tocou os lábios durante a vida, quando ele se devotou a preparar o povo para o Senhor (Lc 1.15).

É claro, ele talvez tenha sido recebido com um copo em celebração assim que chegou aos céus, mas imagino que, se Jesus se absteve até a chegada final do reino dos céus, João seria do tipo que se juntaria a ele.

Todos podemos supor nossas próprias histórias. E, de todo modo, nossas suposições serão modestas demais, pois a realidade ultrapassará de longe nossas fantasias extravagantes. Contudo, tentar imaginar remove as teias de aranha e sopra vida nova em nossa calmaria religiosa. Seja o que for que estiver por vir, será o melhor tudo possível.

"Todos de pé", é o que imagino João dizendo, e é claro que nos levantaremos. "Eu gostaria de propor um brinde."

BANQUETE

Apanharíamos nossos cálices e os ergueríamos bem alto.

"Um brinde e eternos aleluias a nosso Campeão, nosso Rei, o Senhor de todos os senhores, o santo Cordeiro de Deus!"

Rugiremos como aqueles que receberam lições vocais do Leão da tribo de Judá. Então, todos juntos, da cabeça da mesa até ao fim dela, viraremos o copo e tomaremos um gole da dádiva de nossas uvas celestiais de Caná. O Mestre de Cerimônias, fiel ao estabelecido em João 2, terá guardado o melhor vinho para esse momento.

Nas palavras do autor Robert Capon:

> Água amadurecida...
> Beber Vinho de fato
> Beber Água *in excelsis*.[1]

Jesus se voltará para aqueles por quem foi trespassado e aqueles por quem foi esmagado, e verá "uma imensa multidão, grande demais para ser contada, de todas as nações, tribos, povos e línguas" (Ap 7.9).

O Pai também observará a cena. Lá, no salão do grande e glorioso banquete, os olhos de Deus vagarão pelos céus como vagam hoje pela terra. E, ao examinar as longas mesas estendidas como ramos, vivos e obedientes, ele verá o fruto da Videira.

> Naquele dia,
> cantem sobre o vinhedo frutífero.
> Eu, o Senhor, o vigiarei
> e o regarei com cuidado.
>
> Isaías 27.2-3

Tenha coragem, seguidor de Jesus, nesta terra árida e cansada. Sirva com abandono. A ceia está quase pronta.

Epílogo

Seria possível afirmar que comecei a busca por videiras na Toscana no banco traseiro de um táxi italiano. Na verdade, porém, parti em busca das videiras muito antes, quando tinha nove anos de idade, no banco da igreja, em meus sapatos de couro envernizado.

Minha alma sentiu o chamado do vinhedo e da Videira divina muito antes que eu soubesse traduzi-lo em palavras. Eu apenas sabia que queria ser parte de algo maior do que minha existência ordinária. Queria que minha vida fosse relevante.

Muitos anos se passaram desde então, mas, em alguns aspectos, pouco mudou. Ainda quero algo que torne tudo em minha vida melhor — as partes agonizantes e as partes gloriosas, e tudo entre os dois extremos.

E me pergunto... como tudo começou para você? Quando você começou a busca pelas videiras? Quando começou a sonhar que, algum dia, você poderia ser escolhido para algo maior do que esta vida? Quando começou a sentir a esperança de ser parte dos planos incomparáveis de Deus?

+ + +

Tenho quase certeza de que não precisaremos de táxis no céu. Se precisarmos, porém, imagino que você encontrará Jesus junto aos portões, onde ele o abraçará, e juntos vocês entrarão no táxi para um passeio retrospectivo de sua vida.

Do jeito que imagino, você assistirá a tudo como uma biografia, vendo seus pontos altos e baixos por olhos redimidos. Jesus apontará pela janela e lhe perguntará:

— Está vendo aquela área rochosa ali? Aquele terreno acidentado que lhe perfurou as solas dos sapatos e lhe machucou os pés? Foi importante para transformá-lo na pessoa que é hoje.

Você vai passar por um local em que viveu por algum tempo, um lugar onde nunca teria decidido morar se tivesse opção.

— Aquele lugar não foi nenhum acidente — revelará ele. — Você estava lá bem quando precisava estar. Na realidade, aquele era solo santo.

Ele estacionará num campo e o deixará examinar o solo de perto. Ele lhe mostrará como suas raízes eram profundas — bem mais do que você poderia ter imaginado. E enquanto você remexe na terra, ele lhe mostrará como os seres mortos faziam parte, na verdade, do húmus de sua vida.

Em seguida, ele o conduzirá por uma série de paradas para rever as cenas mais excruciantes que você enfrentou. O lugar onde o podaram até quase o matarem. O lugar onde a praga quase o eliminou. O lugar onde se acumulou uma pilha de estrume maior do que você conseguiria remover. Contudo, dessa vez você não verá as tesouras de poda ou as folhas carcomidas pela praga ou a pilha de estrume.

Você verá apenas a beleza que surgiu das cinzas, a alegria que brotou da tristeza, o louvor que cresceu do solo do desespero.

Ele me enviou para dizer aos que choram
que é chegado o tempo do favor do Senhor [...]

O QUE APRENDI COM AS VIDEIRAS

A todos que choram em Sião
    ele dará uma bela coroa em vez de cinzas,
uma alegre bênção em vez de lamento,
    louvores festivos em vez de desespero.
Em sua justiça, serão como grandes carvalhos
    que o SENHOR plantou para sua glória. [...]
Em lugar de vergonha e desonra,
    desfrutarão uma porção dupla de honra.
Terão prosperidade em dobro em sua terra
    e alegria sem fim. [...]
O SENHOR Soberano mostrará sua justiça às nações
    do mundo; todos o louvarão!
Será como um jardim no começo da primavera,
    quando as plantas brotam por toda parte.

Isaías 61.2-3,7,11

Por fim, Jesus lhe mostrará um campo com cestos e mais cestos de uvas bem maduras.

— De onde veio essa colheita? — você perguntará.

O Lavrador sorrirá de orelha a orelha.

— Esse é o fruto de sua vida. Você sabe como gosto de ver as coisas crescerem.

Ele então passará o braço em seu redor e lhe revelará:

— Nunca houve nenhum momento em que eu não estive com você. Eu estava cantando logo acima esse tempo todo.

Isso é o que há de mais curioso na busca pelas videiras. Em algum ponto do caminho, descobrimos que o Lavrador nos buscava o tempo todo.

E ele faz com que tudo seja relevante.

Agradecimentos

Escrever exige muitíssimo tempo em confinamento solitário, mas publicar necessita de uma equipe. Depois de trinta anos nesta profissão e quase o mesmo número de livros, sou abençoada quase até as lágrimas por poder afirmar com honestidade que jamais trabalhei com uma equipe que eu não adorasse. Permita-me poupá-lo da conclusão precipitada de que devo ser fácil de agradar, porque não sou. É de minha natureza gostar de pessoas e me divertir ao trabalhar em conjunto em projetos, mas é embaraçoso o quanto às vezes sou teimosa. Tenho trabalhado com equipes excelentes porque tenho um Deus gracioso. Estou tão, tão agradecida.

A equipe envolvida neste projeto de escrita é grande o suficiente para arregaçar dezenas de mangas, apanhar cestos e colher toda uma colina de uvas maduras. Sou profundamente grata a minhas filhas, Amanda e Melissa, por realizarem a viagem de uma vida comigo e não provocarem uma briga quando viram o olhar encantado em meu rosto e perceberam bem o que eu estava prestes a semear. Os entes queridos de um escritor pagam um preço. Sou imensamente grata pela generosidade delas. Melissa leu cada capítulo antes que eu o entregasse, e as perspectivas, incentivos, perguntas e sugestões que ela ofereceu representaram ouro puro para mim. Minhas filhas são as aurículas de meu coração. Não consigo imaginar uma vida de nenhum tipo sem seu amor e camaradagem constante.

Aprecio tanto meu marido, Keith, que me ajuda em cada projeto e que, no frenesi das últimas horas antes do prazo final, me traz sanduíches tostados de presunto e queijo com mostarda, massageia meu pescoço, me beija o topo da cabeça preocupada e assegura: "Você consegue, querida. Deus a criou para isso". Ele tem se mostrado mais interessado neste material do que em qualquer coisa que eu já tenha escrito, uma dádiva que não desperdiçarei.

Eu me sentia tão nervosa ao aguardar a opinião de meus agentes literários, Sealy e Curtis Yates, depois que estes lessem o manuscrito, que quase adoeci. Nunca sei, ao entregar um livro, se ele é bom ou não. Escrevo sobre o que considero mais significativo em qualquer ocasião. É uma abordagem rica em paixão, decerto, mas bem pobre em objetividade. Dizer que me senti aliviada quando responderam com entusiasmo seria um eufemismo. Durante todo o processo, ouvi de cada um deles em separado sobre como essa ou aquela parte do livro os comoveu de forma mais pessoal. Eles foram muito além do dever de agentes. Foram verdadeiros irmãos, colocando-se a céu aberto num vinhedo rochoso, cavando naquele solo fértil comigo. Nunca esquecerei.

Agradeço muito a Deus pela Tyndale House Publishers. Este é o terceiro projeto que tive o privilegio de realizar com eles, que são pessoas excepcionais. Nutro um respeito profundo por Mark Taylor e sua longa obediência na mesma direção. Sou apaixonada por Maria Eriksen e Andrea Lindgren, e aprecio demais o trabalho árduo delas. Ron Beers e Karen Watson são não apenas meus parceiros de publicação; são amigos pessoais, amantes das Escrituras e grandes pensadores. Jan Long Harris

AGRADECIMENTOS

trabalhou de forma incansável neste projeto e nos manteve a todos alertas. Meu débito de gratidão a ela é tremendo, e vou pagá-lo com alegria. Eu nunca havia tido o prazer de trabalhar com Stephanie Rische antes. Ela me foi recomendada e provou ser exatamente a editora certa para *O que aprendi com as videiras*. Eu a escolheria de novo para este projeto uma centena de vezes. Ela captou a ideia logo de início.

Entrevistei diversos especialistas a fim de expandir meu entendimento sobre as videiras, os ramos e os vinhedos. Cada um contribuiu com ricos minerais para o solo de pesquisa que possibilitou que este livro crescesse. O primeiro foi Gordon Sullivan, um renomado *sommelier* e, por vontade de Deus, cunhado de uma querida amiga minha. Gordon investiu o mesmo número de anos em uvas que eu investi no estudo da Bíblia, e fiquei feliz ao descobrir que ele era igualmente entusiasmado. Ele se provou brilhante, fascinante e um absoluto deleite. Seu amor pela videira ampliou meu amor pela minha Videira.

Fred Billings foi outro especialista que entrevistei. Ele é especialista em solo, e não é possível entender nada sobre como uma videira cresce sem se meter na terra. Keith e eu adoramos Fred e a esposa dele, Barbie, há décadas, e o que torna sua proficiência ainda mais maravilhosa é que ele enxerga tudo pela lente de um seguidor sincero de Jesus. Há ocasiões em que nós dois nos vimos com lágrimas nos olhos ao conversar sobre como Deus faz tudo crescer.

Tive o privilegio de viajar por vinhedos fantásticos em preparação para este livro, agendando as visitas de maneira deliberada em estações diferentes para que eu estudasse a videira durante o curso de um ano inteiro. Meu caso de amor começou num vinhedo na Toscana. Em seguida, atraiu-me para o oeste, para a região vinícola da Califórnia, onde falei

O QUE APRENDI COM AS VIDEIRAS

pela primeira vez acerca da canção de Isaías sobre o vinhedo. Depois, fui para o estonteante Willamette Valley, no Oregon, e, por fim, voltei ao Texas com Paul Vincent e Merrill Bonarrigo, proprietários da vinícula Messina Hof Winery and Resort na cidade de Bryan. Seria impossível encontrar pessoas mais amáveis em toda a extensão do estado do Texas. Merrill é outra fanática pela Bíblia como eu, e realizou palestras em diversas ocasiões sobre a videira e os ramos com base em décadas de experiência pessoal. Ela me impressiona.

Outros especialistas me ensinaram por meio de livros, artigos, e *podcasts*. Minha cópia de *From Vines to Wines*, de Jeff Cox, se encontra quase em frangalhos de tão gasta. *The Organic Backyard Vineyard*, de Tom Powers, e *Understanding Vineyard Soils*, de Robert E. White, foram bem úteis. *The Spirituality of Wine*, de Gisela Kreglinger, e *Food and Faith: A Theology of Eating*, de Norman Wirzba, foram leituras encantadoras, perspicazes e comovedoras. *The Supper of the Lamb*, de Robert Farrar Capon, é simplesmente espetacular, e se você for um apreciador de boa comida e não possuir um exemplar em sua estante, retifique essa situação de imediato. Junto com incontáveis recursos e comentários bíblicos, esses foram meus professores mais proeminentes no campo sublime das uvas e videiras. Adorei cada minuto da pesquisa que este projeto exigiu.

Meu coração transborda de gratidão a Deus por meus colegas do projeto Living Proof Ministries. Não são apenas meus parceiros de ministério; são meus amigos mais queridos no mundo. Eles me encorajam desde a primeira ideia acerca de um projeto de escrita até a fruição do livro que terão na mesa de cabeceira. Eles mantêm tudo mais no ministério funcionando para que eu tenha a oportunidade de passar a maior

AGRADECIMENTOS

parte de meu tempo pesquisando, escrevendo e ensinando as Escrituras. Não sou digna deles, mas sou profundamente grata a Deus por eles.

Encontro-me quase sem palavras para expressar minha gratidão a Deus pelos leitores. Pelas pessoas que ainda apreciam um livro de bom tamanho num mundo de declarações curtas de impacto. Pelas pessoas que resistem contra uma cultura fadada e determinada a nos roubar a capacidade de atenção que Deus nos deu. A meus amigos amantes dos livros, para quem nada soa melhor que o ruído da lombada de um livro se quebrando — saúde! Um brinde ao aproveitamento do tempo. Um brinde à nutrição de nossa mente. E, acima de tudo, um brinde à busca da Videira, que transforma água em vinho.

Jesus, obrigada. Tua graça sobeja sobre mim. Oh, que não seja em vão. Toma este livro e faze dele o que quiseres. Escrevi cada palavra contida nele por tua causa. Tu és minha videira. És meu prato. És meu vinho. É para a tua glória, Pai, que produzo tantos frutos, demonstrando a mim mesma que sou tua discípula. Por isso, Salvador abençoado, Amor e Luz, que assim o seja.

Notas

Capítulo 1: Planta
[1] Walter William Skeat, *A Concise Etymological Dictionary of the English Language* (Londres: Clarendon Press, 1885), p. 211.
[2] Idem, p. 211.

Capítulo 2: Local
[1] Robert E. White, *Understanding Vineyard Soils* (Oxford: Oxford University Press, 2009), p. 25.
[2] Idem, p. 17.

Capítulo 3: Uvas
[1] Will Oremus, "Lies Travel Faster Than Truth on Twitter—and Now We Know Who to Blame", *Slate: Future Tense*, 9 de março de 2018, <https://slate.com/technology/2018/03 /lies-travel-faster-than-truth-on-twitter-says-a-major-new-mit-study.html>. Acesso em 18 de novembro de 2020.
[2] Eugene H. Merrill, *Deuteronomy: An Exegetical and Theological Exposition of Holy Scripture*, vol. 4 (Nashville: B & H, 1994), p. 186.
[3] L. H. Bailey, em Jeff Cox, *From Vines to Wines: The Complete Guide to Growing Grapes and Making Your Own Wine* (North Adams, MA: Storey, 2015), p. 14.

Capítulo 4: Canção
[1] John D. W. Watts, *Isaiah 1—33*, vol. 24 (Nashville: Thomas Nelson, 2005), p. 83.

Capítulo 6: Colinas
[1] Cox, *From Vines to Wines*, p. 47.

Capítulo 7: Pedras

[1] Cox, *From Vines to Wines*, p. 43.

[2] Idem, p. 43.

[3] Jamie Goode, "Struggling Vines Produce Better Wines", Wineanorak. com, <http://www.wineanorak.com/struggle.htm>. Acesso em 18 de novembro de 2020.

[4] Idem.

[5] Karen MacNeil, "The Sex Life of Wine Grapes," *WineSpeed* (blog), 25 de maio de 2018, <https://winespeed.com/blog/2018/05/the-sex-life-of-wine-grapes/>. Acesso em 18 de novembro de 2020.

Capítulo 8: Videira

[1] Ver uma análise profunda da mesa da Páscoa judaica no primeiro século em Joel B. Green, *The Gospel of Luke* (Grand Rapids, MI: Eerdmans, 1997), p. 757–58.

[2] Walter L. Liefeld, "Luke" em Frank E. Gaebelein, ed., *The Expositor's Bible Commentary: Matthew, Mark, Luke*, vol. 8 (Grand Rapids, MI: Zondervan, 1984), p. 1026.

[3] Gary M. Burge, *The NIV Application Commentary: John* (Grand Rapids, MI: Zondervan, 2000), p. 416.

[4] Idem, p. 417.

Capítulo 9: Permanecer

[1] *Merriam-Webster's Collegiate Dictionary*, 11ª ed. (Springfield, MA: Merriam-Webster, Inc., 2003).

[2] Burge, *The NIV Application Commentary: John*, p. 426.

[3] Idem, p. 426.

[4] Marvin R. Vincent, *Word Studies in the New Testament*, vol. 2 (Nova York: Scribner, 1887), p. 249.

Capítulo 10: Poda

[1] Cox, *From Vines to Wines*, p. 79.

[2] Idem, p. 75.

Capítulo 11: Treliça

[1] Cox, *From Vines to Wines*, p. viii.

Capítulo 12: Solo
[1] Andrew Jefford, prefácio a Robert E. White, *Understanding Vineyard Soils* (Oxford: Oxford University Press, 2015), p. vii.
[2] Cox, *From Vines to Wines*, p. 45.
[3] White, *Understanding Vineyard Soils*, p. 5.
[4] Idem, p. 183.
[5] Idem, p. 175.

Capítulo 13: Raízes
[1] Ver Deuteronômio 5.15; 7.18; 8.1; 32.7; Josué 1.13; Neemias 4.14; Salmos 105.5-6.

Capítulo 14: Ar livre
[1] Wendell Berry, *The Art of the Commonplace: The Agrarian Essays of Wendell Berry* (Berkeley, CA: Counterpoint, 2002), p. 311. Obrigada a Gisela H. Kreglinger, que traçou essa conexão em *The Spirituality of Wine* (Grand Rapids, MI: Eerdmans, 2016).
[2] 1Reis 17—18.

Capítulo 15: Adubo
[1] John Nolland, *Luke 9:21—18:34*, vol. 35B (Dallas: Word, 1998), p. 719.
[2] Joel B. Green, *The Gospel of Luke* (Grand Rapids, MI: Eerdmans, 1997), p. 515.

Capítulo 16: Praga
[1] Partes deste capítulo apareceram originalmente em Beth Moore, "To Servants of Jesus in Your 30s and 40s", *The LMP Blog*, 23 de maio de 2016, <https://blog.lproof.org/2016/05/to-servants-of-jesus-in-your-30s-and-40s.html>. Acesso em 18 de novembro de 2020.

Capítulo 17: Última colheita
[1] Chad Brand et al., eds., "Festivals," in *Holman Illustrated Bible Dictionary* (Nashville: Holman Bible, 2003), p. 569.
[2] Ralph Gower, *The New Manners and Customs of Bible Times* (Chicago: Moody Press, 1987), p. 106.
[3] Leon Morris, *The Gospel according to John* (Grand Rapids, MI: Eerdmans, 1995), p. 598.

NOTAS

[4] R. H. Strachan, *The Fourth Gospel* (Londres: Student Christian Movement Press, 1955), citado em Leon Morris, *The Gospel according to John* (Grand Rapids, MI: Eerdmans, 1995), p. 598.

Capítulo 18: Recolhimento
[1] Green, *The Gospel of Luke*, p. 430.

Capítulo 19: Banquete
[1] Robert Farrar Capon, *The Supper of the Lamb* (Nova York: Farrar, Straus and Giroux, 1989), p. 84.

Compartilhe suas impressões de leitura,
mencionando o título da obra, pelo e-mail
opiniao-do-leitor@mundocristao.com.br
ou por nossas redes sociais

Esta obra foi composta com tipografia Adobe Caslon Pro
e impresso em papel Pólen Soft 70 g/m² na gráfica Assahi